W9-BZN-876

Les Femmes savantes

MOLIÈRE

Les Femmes savantes

●

PRÉSENTATION
NOTES
DOSSIER
CHRONOLOGIE
BIBLIOGRAPHIE
GLOSSAIRE

par Lise Michel

GF Flammarion

© Flammarion, Paris, 2018.
ISBN : 978-2-0813-0648-6

$Présentation$

CRÉATION ET RÉCEPTION DE LA PIÈCE

Lorsqu'il crée *Les Femmes savantes*, le 11 mars 1672, au théâtre du Palais-Royal, Molière, à la tête de la Troupe du roi, est au sommet de sa gloire. L'année précédente, malgré l'accueil timide réservé aux *Fourberies de Scapin*, *Psyché* avait bénéficié d'un immense succès. *La Comtesse d'Escarbagnas*, pièce-cadre du *Ballet des ballets*, avait été présentée devant la Cour, à Saint-Germain-en-Laye, en décembre 1671 et février 1672. La scène du Palais-Royal, dont Molière a la jouissance avec les Comédiens-Italiens, a été rénovée récemment. De grands travaux ont été réalisés en 1671 afin d'accueillir la machinerie de *Psyché*. La salle elle-même, restaurée à cette occasion, comporte désormais trois étages de loges au lieu de deux, et de nouvelles loges latérales accolées à la scène. Des places ont aussi été aménagées sur la scène même, comme dans les autres théâtres publics [1]. Les premières recettes des *Femmes savantes* sont excellentes. Après le relâche de Pâques, elles connaissent toutefois une baisse importante. La pièce est retirée de l'affiche après dix-huit

---

1. Voir P. Pasquier et A. Surgers (dirs), *La Représentation théâtrale en France au XVIIe siècle*, Armand Colin, 2011, p. 74, et P. Cornuaille, *Les Décors de Molière*, Presses universitaires de Paris-Sorbonne, 2015, p. 103-104.

représentations en tout. Du vivant de l'auteur, elle sera encore jouée cinq fois au Palais-Royal, et deux fois en visite, chez Monsieur puis chez le roi [1].

Le décor original de cette comédie est inconnu. En revanche, la scénographie utilisée lors de sa reprise à l'hôtel Guénégaud (Comédie-Française) en 1682 nous est parvenue, grâce au registre du décorateur : « *Trissotin ou Les Femmes savantes* : le théâtre est une chambre. Il faut 2 livres, 4 chaises et du papier [2]. » Un décor restreint a probablement suffi, dès l'origine, à jouer la pièce. Selon toute vraisemblance, Molière incarnait Chrysale [3]. L'inventaire après décès du comédien fournit en outre une indication sur son costume, un habit « servant à la représentation des *Femmes savantes*, composé de juste-au-corps et haut-de-chausses de velours noir et ramage à fond aurore, la veste de gaze violette et or, garnie de boutons, un cordon d'or, jarretières, aiguillettes et gants [4] ».

Les nouveautés de Molière sont attendues et commentées avant même leur création. *Les Femmes savantes* ne font pas exception à la règle. La pièce, conformément à l'usage, a été lue dans des cercles lettrés avant sa première

---

1. Voir C. Bourqui et G. Forestier, « Notice » des *Femmes savantes*, in Molière, *Œuvres complètes*, Gallimard, « Bibliothèque de la Pléiade », 2010, t. II, p. 1527. Les reprises au Palais-Royal eurent lieu en octobre 1672 et février 1673, les visites les 11 août et 17 septembre 1672.

2. *Le Mémoire de Mahelot*, éd. P. Pasquier, Honoré Champion, 2005, p. 339.

3. Le croisement entre les éléments, parfois contradictoires, fournis par *Le Mercure galant* de 1672 et le *Répertoire des comédies françaises qui se peuvent jouer à la Cour* de 1685 permet de supposer qu'Henriette était jouée par Armande Béjart, Philaminte par Hubert, Armande par Mlle de Brie, Clitandre par La Grange, Trissotin par La Thorillière, Vadius par Du Croisy, Martine par Mlle Beauval et Ariste par le jeune Baron : voir C. Bourqui et G. Forestier, « Notice » des *Femmes savantes*, éd. citée, p. 1527, note 4.

4. *Inventaire après décès de Jean-Baptiste Poquelin de Molière*, transcrit dans *Œuvres complètes*, éd. citée, t. II, p. 1736.

représentation. Le bruit s'est répandu qu'un auteur contemporain, l'abbé Cotin, impliqué dans plusieurs querelles, y serait directement raillé. La pièce semble d'ailleurs avoir aussi circulé sous le nom de *Trissotin*, *Tricotin* ou *Triçotin*[1].

Elle reçoit de son premier public un accueil plutôt favorable (voir Dossier, p. 161 *sq.*). Plusieurs témoignages laissent toutefois penser que le comique lié aux personnages des femmes savantes elles-mêmes n'est pas l'aspect qui conquit le plus aisément spectateurs et lecteurs. « On l'a trouvée fort plaisante, mais un peu trop savante », écrit le scientifique Christian Huygens à son frère[2]. *Le Mercure galant*, journal de Donneau de Visé, ami de Molière, qui propose un long compte-rendu de la représentation, ne mentionne lui-même que très rapidement le « divertissement » suscité par les femmes savantes. Donneau évoque en revanche les « agréables railleries d'une certaine Henriette », les « ridicules imaginations d'une visionnaire qui se veut persuader que tout le monde est amoureux d'elle » et le « caractère d'un père qui veut faire croire qu'il est le maître dans sa maison ». Il note aussi le comique lié au langage et au comportement de la servante Martine, et propose des rapprochements éclairants entre l'intrigue des *Femmes savantes* et celle du *Tartuffe*. Il revient également sur l'application qui a été faite de Trissotin à l'abbé Cotin[3]. Un an après la création de la pièce, Bussy-Rabutin

---

1. Voir Dossier, p. 161 *sq.*, en particulier la lettre de Mme de Sévigné du 9 mars 1672, celle de C. Huygens du 1er avril 1672 et la *Gazette d'Amsterdam* du 15 décembre 1672. C'est aussi sous le nom de *Trissotin* que la pièce est désignée dans le registre de La Grange, à partir de la reprise du 29 avril 1672. En revanche, le privilège est établi au seul titre des *Femmes savantes*.

2. Lettre du 1er avril 1672, in *Œuvres complètes*, La Haye, M. Nijhoff, t. VII, 1897, p. 161.

3. « Discours sur une Comédie de Monsieur de Molière, intitulée *Les Femmes Savantes* », *Le Mercure galant*, Claude Barbin et Théodore Girard, t. I, janvier-avril 1672, p. 207-215.

et le père Rapin, tout en reconnaissant la grande qualité de la comédie et en soulignant des aspects plaisants, regrettent quant à eux que les ridicules de Bélise, Armande et Philaminte n'aient pas été assez « naturels [1] ».

Par rapport à cette première réception, l'histoire littéraire a opéré une modification importante en orientant l'attention de façon presque exclusive, comme le titre de la pièce invite au demeurant à le faire, sur les personnages des trois femmes savantes. En faisant rire, parmi d'autres objets, de femmes étourdies de savoir, *Les Femmes savantes* soulèvent de fait, génération après génération, une question qui, par son ampleur, semble occulter toutes les autres : Molière a-t-il voulu se moquer des femmes qui aspirent à la science ou a-t-il, au contraire, cherché à railler ceux qui les dénigrent ? En réalité, la question, pour le public de 1672, ne se pose pas en ces termes. Si l'on rit des femmes savantes, c'est à la fois parce que celles-ci sont entichées de façon obsessionnelle des doctrines à la mode dans les domaines métaphysique, scientifique et linguistique, et parce qu'elles en font un étalage ridicule. Dans son contexte de création, l'originalité de la pièce ne réside donc pas dans une quelconque thèse sur la question féminine. Elle tient bien davantage à la manière dont certains types, situations et comportements traditionnels de la comédie sont renouvelés par un tissage étroit avec les termes et les enjeux des débats linguistiques, littéraires, scientifiques et philosophiques contemporains.

LE PÈRE DE FAMILLE : LÂCHE ET MISOGYNE ?

Le fil de l'intrigue des *Femmes savantes* repose sur le mariage empêché entre la jeune Henriette et son amant

---

1. Lettres des 13 et 28 février, 15 mars et 11 avril 1673, in *Lettres de Messire Roger de Rabutin, Comte de Bussy, avec les réponses* [1697], Paris, F. et P. Delaulne, t. IV, 1702, p. 86-92.

Clitandre. Dans les intrigues des comédies tradition-
nelles, comme dans la plupart des créations précédentes
de Molière, le mariage des jeunes premiers rencontrait
l'opposition du père de famille ou d'un barbon jaloux.
C'est ici la mère de famille qui s'oppose à cette union,
réservant à sa fille un autre prétendant. Comme Orgon
dans *Le Tartuffe*, Philaminte est sous l'emprise d'un
imposteur, ici le bel esprit Trissotin qui, comme Tartuffe,
n'en veut qu'à la dot que pourra lui apporter l'alliance
avec la famille.

La tension dramatique est alors créée par la rivalité
entre les deux partis, maternel et paternel : si la menace,
pour le couple d'amants des *Femmes savantes*, est réelle,
c'est que la mère possède ici une autorité supérieure à
celle du père de famille. Le droit familial, au XVIIe siècle,
est régi par le principe de la puissance paternelle. La
mère de famille, sauf cas exceptionnels, est juridiquement, en tant que femme mariée, « en puissance de
mari » : elle a besoin de l'accord de ce dernier pour
mener à bien une démarche juridique[1]. La pièce ne
cherche pas, sur cette question, à fonder l'autorité de Philaminte sur une quelconque exception légale réaliste.
C'est même, précisément, parce qu'elle inverse la norme
que la scène de signature du contrat de mariage (V, 3)
suscite le rire. Au demeurant, si l'on y cherchait une vraisemblance socio-historique, on noterait que c'est le nom
de l'époux, et non le droit de signature, qui fait dans cette
scène l'objet de la dispute auprès du notaire. Quoi qu'il
en soit, l'autorité de Philaminte est avant tout morale :
comme l'ont noté les premiers spectateurs de la pièce,
l'un des principaux ressorts comiques des *Femmes
savantes* est le caractère velléitaire et la faiblesse du père
et mari, que met en valeur l'autoritarisme de son épouse.

---

1. Voir Scarlett Beauvalet, « Le cadre familial : entre autorité et individu », in A. Antoine et C. Michon (dirs), *Les Sociétés au XVIIe siècle*,
Rennes, Presses universitaires de Rennes, 2006.

De ce point de vue, le personnage de Chrysale est lui-même singulier dans la production comique du XVIIe siècle. Certes le type du couard, que Molière avait déjà incarné avec le Sganarelle du *Cocu imaginaire* en 1660, appartient à une longue tradition qui se décline notamment dans les formes du capitan italien ou du matamore espagnol. Mais dans *Les Femmes savantes*, ce personnage a en face de lui une épouse quant à elle excessivement hardie. Les tensions que provoque la confrontation entre ces deux extrêmes participent d'une forme de paradoxe cher à la littérature galante. De même qu'Alceste, dans *Le Misanthrope*, refusait de se plier aux exigences de la vie en société mais aimait passionnément une femme on ne peut plus attachée aux vertus de la sociabilité, de même Chrysale, qui professe la suprématie du corps sur l'esprit et les vertus de l'ignorance féminine, est l'époux aimant d'une pédante qu'il appelle tendrement « et "mon cœur", et "ma mie" » (II, 9, v. 676). Les attributs traditionnels censés être ceux de la féminité et de la virilité sont par la même occasion inversés.

L'originalité du personnage de Chrysale tient aussi au caractère passionnel de ce comportement, qui dépasse celui du simple type comique. C'est en termes d'« humeur » (c'est-à-dire de tempérament) qu'Henriette décrit le comportement de son père :

> Mon père est d'une humeur à consentir à tout,
> Mais il met peu de poids aux choses qu'il résout ;
> Il a reçu du ciel certaine bonté d'âme,
> Qui le soumet d'abord à ce que veut sa femme ;

(I, 3, v. 205-208)

Le comportement de Chrysale, incapable de se tenir aux décisions qu'il a prises et de s'engager pour défendre la cause de sa fille, relève, selon les termes du traité des *Passions de l'âme* de Descartes, de l'affection de lâcheté, définie comme une « langueur ou froideur qui empêche l'âme de se porter à l'exécution des choses qu'elle ferait si elle était exempte de cette passion » et qui « détourne la volonté des actions utiles » [1]. Cette passion, que Chrysale décrit comme handicapante (II, 9, v. 663-674) [2], est elle-même constituée en obstacle dramaturgique dans la comédie. Henriette comme le sage Ariste cherchent à la neutraliser. C'est dans cette perspective qu'Ariste incite son frère « à vouloir être un homme » (*ibid.*, v. 684) en faisant enfin « condescendre une femme à [ses] vœux » (*ibid.*, v. 685). Cette scène, dans laquelle le raisonneur de la comédie tient des propos outrageusement misogynes, a souvent prêté à malentendu. En réalité, Ariste n'y défend pas un point de vue attribuable à Molière : il use simplement d'arguments susceptibles de convaincre son interlocuteur et de contrer l'emprise de sa passion. Chrysale est en effet caractérisé comme un personnage bourgeois aux idées parfaitement désuètes, dans quelque domaine que ce soit, et notamment sur le sujet des relations entre hommes et femmes.

Comme le Dandin des *Plaideurs* de Racine, fier d'avoir été « un compère autrefois [3] », l'époux de Philaminte appartient à une autre génération. C'est un homme qui se souvient avec émotion des gaillardises de sa jeunesse (II, 3, v. 345-349). Il a fait le voyage à Rome, pratique devenue bourgeoise à l'époque de Molière [4]. Il manifeste une relation au savoir matérialiste jusqu'à la caricature (« Je vis de bonne soupe, et non de beau langage./ Vaugelas n'apprend point à bien faire un potage », II, 7, v. 531-532), réduisant

---

1. Descartes, *Les Passions de l'âme* [1649], éd. P. d'Arcy, GF-Flammarion, 1996, art. 174 et 175, p. 208-209.
2. Voir aussi V, 2, v. 1570-1572.
3. Racine, *Les Plaideurs* [1669], III, 4, v. 867, in *Œuvres complètes*, éd. G. Forestier, Gallimard, « Bibliothèque de la Pléiade », 1999.
4. Emmanuelle Henin, « Rome, un lieu commun ? Usage et usure du *topos* dans les récits des voyageurs français à Rome au XVIIᵉ siècle », *Revue d'histoire littéraire de la France*, vol. 104, nº 3, 2004, p. 600.

l'opposition entre le corps et l'esprit à un éloge mal compris et égoïste du corps. Sur la question de l'instruction des femmes, comme sur celle des relations entre les époux, les idées qu'il professe, lorsqu'il oppose les femmes d'avant à celles « d'à présent » (*ibid.*, v. 581-585), font rire en tant qu'elles sont parfaitement rétrogrades. Les arguments selon lesquels « il n'est pas bien honnête, et pour beaucoup de causes,/ Qu'une femme étudie, et sache tant de choses » (*ibid.*, v. 571-572) sont issus d'une morale religieuse désuète, qui met en garde contre l'instruction des femmes, jugée potentiellement pernicieuse pour la foi comme pour l'équilibre de la famille[1]. L'humour lié à l'emploi à nouveaux frais de ces discours misogynes, fréquent dans la littérature galante des années 1660-1670, porte aussi la marque des textes facétieux des années 1615-1625, réédités en masse, avec l'œuvre de Rabelais, au début des années 1660. Molière avait déjà exploité cette veine, notamment dans le *Dépit amoureux*, *L'École des maris*, *L'École des femmes* et *Le Médecin malgré lui*.

En contraste avec ceux de Chrysale, les discours de Philaminte, Armande et Bélise d'une part, Vadius et Trissotin d'autre part, exhibent de façon pédante un savoir spécialisé.

LA PÉDANTERIE MODERNE

Le type du pédant, dont l'histoire remonte à l'Antiquité, est au centre de plusieurs comédies au XVIIᵉ siècle[2].

---

1. « Les livres ne sont pas les vrais meubles des femmes, et entre les livres le livre des livres, qui est l'écriture sainte, n'est pas fusée propre pour leur quenouille » (P. François Garasse, *La Doctrine curieuse des beaux esprits de ce temps* [1623], V, 6). Des thèses similaires se trouvent dans *La Famille sainte, où il est traité des devoirs de toutes les personnes qui composent une famille* (1666) du P. Jean Cordier.

2. *Le Docteur amoureux* (1638) de Le Vert, *Le Déniaisé* (1648) de Gillet de la Tessonnerie, *Le Pédant joué* (1654) de Cyrano de Bergerac,

Celles-ci gardent, souvent textuellement, la trace des pédants de la comédie italienne érudite du XVIᵉ siècle et de leurs avatars dans les comédies françaises des XVIᵉ et XVIIᵉ siècles ou dans la *commedia dell'arte* [1].

Mobilisant des références savantes auxquelles ils renvoient comme à des autorités de façon obtuse et dénuée de jugement, les pédants se trouvent par là même inaptes à respecter les règles de la véritable sociabilité. Ce comportement est d'autant plus amusant pour le public du XVIIᵉ siècle qu'il prend exactement le contre-pied du rapport au savoir que valorisent les normes de l'honnêteté. Le refus de l'exhibition et la désinvolture de bon aloi sont constitutifs du savoir-vivre qui innerve les traités de morale pratique et la littérature galante depuis les années 1630 en France. L'absence de souplesse et la mise en avant de soi qu'impliquent les discours pédants sont incompatibles avec l'art de plaire en société. En outre, une trop grande érudition est jugée dangereuse, en ce qu'elle peut nuire à l'exercice véritable de la pensée : c'est la position que Clitandre défend face à Trissotin (« La science est sujette à faire de grands sots », IV, 3, v. 1284). Et bien que la valeur ultime soit celle de la sociabilité, se confondre en éloges, comme le font Armande, Bélise et Philaminte à la déclamation des poèmes de Trissotin, est tout aussi déplacé : l'excès, qui suscite le doute sur la sincérité des propos, est également nuisible à l'honnête « complaisance ».

Le Comte de Roquefeuilles ou le Docteur extravagant (1669) de Nanteuil, etc.

1. *Les Femmes savantes* reprennent quelques plaisanteries du *Fidèle* (1611) de Larivey, traduction de la comédie *Il Fedele* (1576) de Luigi Pasqualigo : le pédant Josse y corrigeait notamment la servante Babille, comme Bélise le fera avec Martine, sur l'accord fautif entre le singulier du sujet et le pluriel du verbe, et sur la redondance de la double négation (Pierre de Larivey, *Le Fidèle*, II, 14 ; comparer avec *Les Femmes savantes*, II, 6, v. 490-503).

Le bel esprit, tel qu'il est mis en scène ici en la personne de Trissotin, relève du même type de comique[1]. L'expression, flatteuse dans les années 1630 lorsqu'elle distinguait des hommes sachant plaire en société par leur esprit, est péjorative depuis le milieu du siècle[2]. Elle renvoie à un homme qui veut faire de l'esprit à tout prix. Si les beaux esprits envahissent la Cour, ils n'en sont pas moins étrangers au véritable esprit de cour, au même titre que les pédants. Il est amusant de noter que l'original de Trissotin, l'abbé Cotin, avait lui-même défendu le jugement de la Cour contre les pédants[3] : Molière prête à son personnage une position inverse.

Les Femmes savantes reprennent en partie le principe traditionnel du comique de la pédanterie, mais y introduisent des modifications importantes. Trois traits principaux caractérisent généralement les pédants dans la littérature : un rapport obsessionnel à la correction de la langue, la valorisation excessive des activités de l'esprit au détriment du corps et, on l'a dit, un recours dénué de jugement à des autorités savantes. Les personnages des *Femmes savantes* possèdent ces trois caractères, mais, au lieu de références à Aristote ou d'expressions latines, Molière leur prête les termes et les notions des débats d'actualité.

LA CORRECTION DE LA LANGUE

À la date où est créée la pièce, les querelles d'actualité les plus vives, dans le domaine de la langue, ne tiennent

---

1. Trissotin est caractérisé comme un « bel esprit » dès la liste des personnages.
2. Voir *Les Précieuses ridicules* (1659), scène 1 : « Il n'y a rien à meilleur marché que le bel esprit » (in Molière, *Œuvres complètes*, éd. citée, t. I, p. 8).
3. « La Cour ne se pique pas ordinairement de Grec et de Latin, elle aime mieux faire les belles choses que de les lire » (*La Critique désintéressée sur les satires du temps*, s.l.n.d. [1666], p. 42). Le texte, paru anonymement, est généralement attribué à Cotin.

pas à la rivalité entre le latin et le français. Les débats opposent les tenants d'une grammaire française fondée sur la raison et ceux qui souhaitent réglementer la langue en suivant l'usage. Les *Remarques sur la langue française utiles à ceux qui veulent bien parler et bien écrire* de Vaugelas, parues en 1647, avaient pour objectif de donner les critères de pureté de la langue française fondés sur le « bel usage » ou « bon usage », « façon de parler de la plus saine partie de la Cour, conformément à la façon d'écrire de la plus saine partie des auteurs du temps »[1]. À l'inverse, les grammairiens de Port-Royal Antoine Arnauld et Claude Lancelot avaient, en 1660, refondé les bonnes pratiques de la langue française sur la raison[2].

Plus radicalement, la question se pose, pour certains lettrés modernes, de l'intérêt même de ces débats entre grammairiens, voire de l'intérêt même de la grammaire. Le philosophe La Mothe Le Vayer avait manifesté ouvertement son hostilité envers ces vaines préoccupations de spécialistes[3]. En réponse, la préface des *Remarques* de Vaugelas s'élève contre ces « quelques écrivains modernes, qui ont tant déclamé contre le soin de la pureté du langage, et contre ses partisans ». Après la parution de cet ouvrage, La Mothe Le Vayer redit son aversion pour le sujet avant de se lancer à son tour dans une longue réponse argumentée, qui s'en prend à la normalisation de la langue :

---

1. Claude Favre de Vaugelas, *Remarques sur la langue française utiles à ceux qui veulent bien parler et bien écrire*, Paris, Vve J. Camusat et P. Le Petit, 1647, Préface, n.p.
2. Antoine Arnauld et Claude Lancelot, *Grammaire générale et raisonnée contenant les fondements de l'art de parler, expliqués d'une manière claire et naturelle*, Paris, P. Le Petit, 1660.
3. François de La Mothe Le Vayer, *Considérations sur l'éloquence française de ce temps*, Paris, S. Cramoisy, 1638 (2ᵉ éd., Paris, A. de Sommaville, 1647).

Mon âme se fait accroire qu'il est temps de s'occuper plus
sérieusement, et qu'il y a de la honte à s'amuser encore à des
questions de grammaire [1].

Le débat n'a rien perdu de son actualité en 1672, année
où Gilles Ménage fait paraître ses *Observations sur la
langue française*. *Les Femmes savantes* portent expressé-
ment la trace de la querelle entre Vaugelas et La Mothe
Le Vayer [2], mais la pièce joue aussi, en grande partie, du
ridicule qu'il y a à vouloir régenter la langue française.

Le comique lié à la langue des femmes savantes tient
à une excessive rigueur linguistique. Le respect strict des
exigences de la grammaire, revendiqué avec conviction, va
en pratique jusqu'au ridicule (« Je voudrais bien que vous
l'excusassiez », II, 6, v. 469). L'autorité de l'étymologie
appliquée de façon systématique rend certains termes ou
expressions inutilement sophistiqués (par exemple, « oraison », II, 7, v. 518, et « donnons [...] audience », III, 2,
v. 755). Sur ce point, les pédantes s'opposent aux précieuses, dont le langage était au contraire caractérisé par
un excès de figures. Par contraste, le langage de la servante
Martine, mêlé de proverbes, a, comme celui de Jacqueline
dans *Le Médecin malgré lui*, une connotation populaire
pour le public lettré de 1672 [3].

Les Femmes savantes présentent aussi plusieurs points
de rencontre avec *La Comédie des académistes pour la
réformation de la langue française* (1650). Dans ce dialogue satirique de Saint-Évremond, les fondateurs de
l'Académie française se targuent de « réformer les mots »
et « les défauts que l'on trouve au langage ». Ils
instaurent « un tribunal de la langue » et s'en prennent à

---

1. François de La Mothe Le Vayer, *Lettres touchant les Nouvelles
remarques sur la langue française de Vaugelas*, Paris, N. et J. de La Coste,
1647, p. 4.
2. Voir la note des v. 1065 et 1602.
3. Voir la note du v. 418.

la « rudesse », proscrivant certaines expressions dans l'idée de faire « une loi qui demeure à jamais » [1]. Comme eux, les savantes de Molière établissent des « règlements » fondés sur « une haine mortelle/ Pour un nombre de mots, soit ou verbes ou noms » contre lesquelles elles préparent « de mortelles sentences » (III, 2, v. 899-905). Dans *La Comédie des académistes*, les savants disputaient déjà, en matière de grammaire, des droits respectifs de la raison et de l'usage [2] ; la dispute entre Trissotin et Vadius (III, 3) pourrait être la trace de la querelle de lettrés qui, chez Saint-Évremond, éclatait entre Colletet et Godeau [3].

C'est aussi dans la littérature narrative (comme dans le *Francion* de Charles Sorel [4]) ou satirique que Molière puise son inspiration : le personnage stigmatisé dans *Le Barbon* (1648) de Guez de Balzac, satire de l'érudit Pierre de Montmaur, prenait pour base de son calendrier les ides et les calendes et comptait en monnaie antique. Bélise, dans *Les Femmes savantes*, adresse cette même demande au notaire [5].

L'ÂME ET LE CORPS

De même, Molière opère une greffe des enjeux philosophiques contemporains sur les lieux communs des discours traditionnellement prêtés aux pédants, qui attribuaient à l'esprit une valeur démesurée. Le barbon

---

1. Charles de Saint-Évremond, *La Comédie des académistes pour la réformation de la langue française*, I, 1 et III, 3, s.l.n.d. (1650).
2. *Ibid.*, III, 3. Voir *Les Femmes savantes*, II, 6, v. 475-476.
3. *La Comédie des académistes…*, éd. citée, I, 2.
4. Voir la note du v. 76.
5. Jean Guez de Balzac, *Le Barbon* [1648], in *Les Œuvres de M. de Balzac*, Paris, Billaine, t. II, 1665, p. 696 (la pièce est plusieurs fois rééditée entre 1663 et 1665). Voir *Les Femmes savantes*, V, 3, v. 1608-1609.

de Guez de Balzac, fervent défenseur de la grammaire, condamnait fermement le mariage « pour l'intérêt des anges et de l'esprit, contre les animaux, et contre la chair [1] ». Dans *Le Docteur amoureux* (1638) de Le Vert, le valet Julien, instruit par son maître, émettait le souhait que « notre âme indivisible, entière,/ Particule des cieux, exempte de matière [...] fût [...] dedans nos corps entée [2] ». Ou encore, dans *L'Académie des femmes* (1661) de Samuel Chapuzeau, le pédant Hortense défendait, pour servir son dessein galant, une théorie de la distinction entre l'âme et le corps : en amour, l'âme s'absenterait du corps pour se fondre dans l'objet aimé [3].

En 1672, sur la question de la nature de l'âme et du corps, les partisans d'Aristote [4] ne sont plus en position de force. En témoigne, en 1671, *L'Arrêt burlesque* de Nicolas Boileau, qui proposait une défense ridicule de l'aristotélisme [5]. Les véritables débats opposent désormais les modernes entre eux. D'un côté, les cartésiens argumentent en faveur d'une thèse dualiste : Descartes distingue la substance matérielle (le corps, « substance étendue ») et la « substance pensante », immatérielle, rationnelle et spécifiquement humaine, de l'âme [6]. D'un

---

1. *Le Barbon*, éd. citée, p. 699.
2. Le Vert, *Le Docteur amoureux*, II, 2, A. Courbé, 1638, p. 33.
3. Samuel Chapuzeau, *L'Académie des femmes*, I, 3, Paris, Courbé et Billaine, 1661.
4. Selon Aristote, l'âme et le corps ne peuvent pas être dissociés, l'âme étant la forme (ou l'acte) du corps.
5. Nicolas Boileau, *La Requête et arrêt en faveur d'Aristote*, publié anonymement à la suite de G. Guéret, *La Guerre des auteurs anciens et modernes*, La Haye, Arnout Leers, 1671.
6. Cette distinction entre substance étendue (corps) et substance pensante (âme ou esprit) avait été développée en particulier dans les *Principes de la philosophie* (1644) et dans les *Méditations métaphysiques* (1641). Voir Dossier, p. 174 *sq.* Le dualisme des cartésiens rejoint sur ce point la doctrine chrétienne à plusieurs égards : voir par exemple Antoine Arnauld, *La Logique de Port-Royal* (1662). Parmi les cartésiens, on compte Louis de La Forge, *Traité de l'esprit de l'homme, de ses facultés, de ses fonctions et de son union avec le corps, d'après les*

autre côté, les tenants de Gassendi, lui-même héritier d'Épicure et de Lucrèce, défendent l'idée d'une nature commune à l'âme et au corps, composée, comme tout l'univers, de « petits corps » ou atomes [1]. Ces termes surgissent en particulier, dans *Les Femmes savantes*, dans la bouche de Bélise (II, 7, v. 616-617 ; III, 2, v. 880). Par ailleurs, selon Descartes, la partie intellectuelle, qui a la suprématie sur la partie corporelle, est ce qui constitue l'être humain comme tel. Sur ce point, la métaphysique cartésienne porte la trace d'une morale stoïcienne, qui fait de la partie raisonnable le propre de l'homme. Le discours d'Armande, dans *Les Femmes savantes*, mobilise à de nombreuses reprises cette distinction entre partie raisonnable et partie animale de l'homme, enveloppant dans une même opposition sommaire le haut spirituel et le bas corporel (I, 1, v. 32-33), l'esprit et la matière (*ibid.*, v. 35-36), la raison et les sens (*ibid.*, v. 44-48 et v. 101) [2].

Les termes de la philosophie cartésienne, caricaturés par les personnages de Molière, font écho à ceux d'une morale religieuse qui appelle de ses vœux la domination de l'esprit sur les « sales désirs [3] ». Mais c'est surtout dans sa veine stoïcienne que le cartésianisme fait ici l'objet d'une application ridicule. Le *Discours de la méthode* (1637) pose que la maîtrise de ses pensées permet à l'homme de s'estimer heureux dans l'adversité. En outre, dans son traité des *Passions de l'âme*, Descartes postule encore, d'une autre manière, l'influence de l'âme sur le corps, et du corps sur l'âme. Il s'attache à montrer

---

principes de Descartes (Amsterdam, 1664), et Géraud de Cordemoy, *Traité de l'esprit de l'homme et de ses facultés et fonctions, et de son union avec le corps. Suivant les principes de René Descartes* (1666).

1. Parmi eux, citons François Bernier, qui fera paraître en 1674 un *Abrégé de la philosophie de Gassendi* (Paris, J. et E. Langlois).

2. Philaminte et Bélise s'y réfèrent aussi (II, 7, v. 535-541 et 546).

3. L'expression se trouve par exemple dans les *Psaumes* de Racan en 1660.

comment « les hommes, ceux même qui ont les plus faibles âmes, pourraient acquérir un empire très absolu sur toutes leurs passions » (art. 50 ; voir Dossier, p. 178). L'argument surgit de façon récurrente dans *Les Femmes savantes*, où il est tourné en dérision. L'idéal de maîtrise du corps par l'esprit y apparaît à la fois sévère, impraticable et contraire à la nature des choses.

Physique et astronomie

En matière de physique également, les personnages des *Femmes savantes* se font l'écho de l'actualité. Les théories cartésiennes sont très à la mode, au point d'être devenues un véritable phénomène de salon. Jacques Rohault, qui enseigne la physique cartésienne, propose des expériences publiques autour de l'aimant, du centre de gravité ou de la pesanteur de l'air. Son *Traité de physique*, paru en 1671, donne une large part à l'expérimentation. Philaminte annonce à son tour vouloir « découvrir la nature en mille expériences » (III, 2, v. 874). La question du vide fait tout particulièrement débat. Descartes nie l'existence du vide et soutient l'idée d'une matière subtile qui comble les interstices entre les petits corps[1]. Rohault, contre certains de ses contemporains[2], s'applique à conforter cette thèse, dont Bélise se souviendra : « Mais le vide à souffrir me semble difficile,/ Et je goûte bien mieux la matière subtile » (III, 2, v. 881-882).

L'astronomie, qui occupe grandement Philaminte, Bélise et Trissotin, connaît elle aussi depuis les années 1660 un développement intense en Europe. L'astronome Jean-Dominique Cassini (1625-1712) avait été invité par

---

1. Le lien entre les deux aspects est explicité dans *La Dioptrique*, « Discours premier ». Sur la thèse de la non-existence du vide, voir aussi *Principes de la philosophie*, II, 16-17.
2. Comme Gilles Personne de Roberval, l'un des plus virulents opposants au cartésianisme.

Colbert à prendre la direction de l'Observatoire de Paris, créé en 1669 dans l'orbite de la jeune Académie royale des sciences, fondée en 1666. Les recherches sur les comètes se développent à grands frais. Le passage d'une comète en décembre 1664 et janvier 1665 avait fait beaucoup de bruit : l'événement avait donné lieu à un colloque publié dans le premier numéro du *Journal des savants* en janvier 1665. Le sujet de la trajectoire des comètes occupe grandement, dans toute l'Europe, ceux que l'on appelait ironiquement les *savants en -us*[1]. Cela avait contribué à mettre sur le devant de la scène, une fois encore, la théorie de Descartes selon laquelle l'univers est composé de différents tourbillons, les comètes passant d'un tourbillon à l'autre[2].

Comme dans le cas de la grammaire, le comique lié à ces motifs, chez Molière, tient à la fois au fait que les personnages se réfèrent de façon appuyée et ostentatoire à ces notions et préoccupations à la mode, et à un certain ridicule qui affecte le principe même de certaines des disciplines concernées. En effet, malgré l'engouement que suscitent ces nouvelles découvertes, leur utilité ne fait pas l'unanimité. Dans les milieux que fréquente Molière, à la fois proches de la Cour et très informés de l'actualité et des débats littéraires et scientifiques, plusieurs émettent un doute sur le profit qu'il y a, pour les honnêtes gens, à s'intéresser à certaines sciences. Plus encore, l'intérêt d'y mener des investigations est parfois mis en cause en lui-même. On pourrait comparer cet état d'esprit à celui des personnes qui, de nos jours, doutent de la pertinence d'investissements poussés en matière de conquête spatiale pour découvrir une vie extraterrestre, tandis que se

---

1. Par exemple, Johannes Hevelius, *Cometographia totam naturam cometarum* (1668). Voir note 5, p. 42.

2. *Principes de la philosophie*, IIIe partie. Armande et Philaminte y font directement référence (III, 2, v. 884).

posent des problèmes encore non résolus à l'échelle humaine. Cet aspect, moins immédiatement saisissable pour des lecteurs d'aujourd'hui, permet pourtant d'éclairer certaines des plaisanteries des *Femmes savantes*, en particulier lorsque celles-ci touchent, précisément, aux recherches sur la Lune, l'étoile polaire ou les comètes.

L'abbé Cotin lui-même avait rédigé un pamphlet, paru en 1665, intitulé « Galanterie sur la comète apparue en décembre 1664 et janvier 1665 », dans lequel il proclamait son désintérêt, et même son « aversion », pour l'engouement que les modernes, cartésiens et gassendistes épicuriens confondus, prenaient à cette question.

> Il m'importe aussi peu de la comète qui parut en 1664 et en janvier 1665 qu'il m'importe de celle qui précéda le déluge [...]. [S]i cela m'importait de quelque chose, quelle aversion n'aurais-je point de ces grands dissipateurs qui forment la comète du débris d'un monde entier, ou pour parler à leur mode, d'un tourbillon et d'un système. [...] Ainsi certains prophètes de malheur menacent le monde de sa ruine ! [...] Renvoyons ces philosophes rêveurs avec leurs petits corps imperceptibles, ou leur matière subtile [...] à Démocrite, à Leucipe, à Épicure, qui se divertissent cruellement du fracas de plusieurs mondes tombant les uns sur les autres. Quant à moi, ainsi qu'un homme pacifique et débonnaire, je laisse le monde comme il est [1].

Molière s'amuse, ici encore, à prêter au personnage de Trissotin, contre les thèses défendues par son modèle, un intérêt tout particulier pour le sujet (IV, 3, v. 1265-1270).

Dans son « Jugement sur les sciences où peut s'appliquer un honnête homme », Saint-Évremond défend quant à lui l'idée que la théologie, la philosophie et les mathématiques ne devraient pas occuper l'esprit d'un

---

1. Charles Cotin, *Œuvres galantes*, Paris, E. Loyson, 1665, p. 363-365.

honnête homme. La morale, la politique et la connaissance des belles-lettres lui seraient en revanche profitables[1]. Les lunettes astronomiques qui envahissent le grenier de Philaminte et l'idée de chercher les traces de la vie sur la Lune (II, 7, v. 565-568 ; III, 2, v. 889-892) ont bien, pour le public de Molière, un aspect ridicule.

LA PÉDANTERIE AU FÉMININ

Le comportement excessif et l'intérêt pour des savoirs vains provoquent un comique particulier lorsqu'ils sont le fait des femmes. En effet, les domaines dans lesquels s'exercent ces savoirs sont traditionnellement masculins : prêter ces discours à des femmes en redouble en quelque sorte le caractère inconvenant. La question de l'égalité entre hommes et femmes ne laisse pas indifférent à l'époque de Molière, et plusieurs voix se font entendre pour rendre hommage à la science de certaines femmes ou défendre l'égalité de nature entre les deux sexes. C'est le cas, par exemple, du dialogue versifié *Le Cercle des femmes savantes* de Jean de La Forge, qui porte aux nues plusieurs dizaines de femmes de lettres modernes[2], ou des essais de François Poullain de La Barre[3]. L'égalité de droits et d'accès au savoir entre hommes et femmes

---

1. Charles de Saint-Évremond, « Jugement sur les sciences où peut s'appliquer un honnête homme » [1666], in *Œuvres mêlées*, Paris, C. Barbin, 1670, p. 93-111.
2. Jean de La Forge, *Le Cercle des femmes savantes*, Paris, Loyson, 1663. L'ouvrage est dédié à la comtesse de Fiesque comme « à la plus illustre des savantes et comme à la plus généreuse protectrice des savants », et est précédé d'une préface « Aux lectrices ».
3. *De l'égalité des deux sexes, discours physique et moral où l'on voit l'importance de se défaire des préjugés* (1673) et *De l'éducation des dames pour la conduite de l'esprit dans les sciences et dans les mœurs* (1674). Les deux ouvrages sont publiés anonymement.

reste toutefois, y compris en termes de revendications, un horizon très lointain dans les années 1660-1670.

Si les femmes ne reçoivent pas la même instruction que les hommes [1], elles ne sont pas, loin de là, cantonnées à l'ignorance. Les œuvres de Descartes en particulier, pour la plupart rédigées ou traduites en français, leur ont ouvert un nouvel univers de savoir. De nombreux ouvrages de vulgarisation philosophique ou scientifique leur sont aussi, désormais, directement adressés [2]. Mais l'idée qu'elles puissent accéder à certaines professions comme celles de capitaine de navire, d'avocat, de médecin ou de ministre relève, à cette date, de l'utopie ou de la plaisanterie. Le doute qui plane sur l'utilité de certaines disciplines est encore plus poussé dès lors qu'il s'agit d'imaginer des femmes s'y adonnant. C'est le cas notamment de la théologie, de la grammaire, de l'astronomie et de la métaphysique, dont l'étude par les femmes apparaît particulièrement saugrenue, y compris pour les esprits les plus éclairés [3].

Par ailleurs, les femmes incarnent par excellence, aux yeux du public moderne, les valeurs de l'honnêteté. C'est pour cette raison également que les femmes pédantes sont, plus encore que les hommes, en décalage avec le modèle galant. Dans le domaine des lettres, les femmes sont des destinataires privilégiées et jouent de fait, depuis les années 1650, un rôle capital dans la vie littéraire. Elles

---

1. Voir Linda Timmermans, *L'Accès des femmes à la culture (1598-1715) : un débat d'idées de saint François de Sales à la marquise de Lambert*, Honoré Champion, 1993.

2. Par exemple, Louis de Lesclache, *Les Avantages que les femmes peuvent recevoir de la philosophie, et principalement de la morale, ou l'abrégé de cette science* (1667).

3. « [La théologie] devient trop commune, et il est ridicule que les femmes mêmes osent agiter des questions qu'on devrait traiter avec beaucoup de mystère et de secret. Ce serait assez pour nous d'avoir de la docilité et de la soumission » (Charles de Saint-Évremond, « Jugement sur les sciences où peut s'appliquer un honnête homme », éd. citée, p. 95).

assurent la réputation des ouvrages et la diffusion du modèle de la littérature galante. Dans les années 1650-1670, Mme de La Suze, Mlle de Montpensier ou la marquise de Sablé promeuvent dans leurs cercles, après la marquise de Rambouillet à la génération précédente, une littérature qui fait la part belle à la casuistique des rapports amoureux à travers des « questions d'amour » et « maximes d'amour »[1]. De plus en plus fréquemment, les femmes prennent la plume sous leur nom, à l'instar de Madeleine de Scudéry, Marie-Catherine Desjardins et Françoise Pascal.

C'est ce qui explique que la femme pédante soit à tous points de vue un repoussoir. Jean Guez de Balzac, incarnation de l'honnêteté dans les années 1630-1640, écrivait déjà, en 1638 : « Il y a longtemps que je me suis déclaré contre cette pédanterie de l'autre sexe, et que j'ai dit que je souffrirais plus volontiers une femme qui a de la barbe, qu'une femme qui fait la savante[2]. » Dix ans plus tard, dans sa satire *Le Barbon*, il fait l'éloge de la modestie féminine contre la pédanterie. Référence dans tout le second XVIIe siècle, « L'Histoire de Sapho » (X, 2), dans le roman *Artamène ou le Grand Cyrus* (1649-1653) des Scudéry, opposait longuement à la sage et cultivée Sapho la pédante Damophile (voir Dossier, p. 168-171). Le motif surgit aussi dans une lettre de La Fontaine, adressée à sa femme : « ce n'est pas une bonne qualité pour une femme d'être savante, et c'en est une très mauvaise d'affecter de paraître telle[3] ».

Molière n'est pas strictement le premier à exploiter sur un mode comique l'idée d'une pédanterie au féminin.

---

1. Voir par exemple *Recueil de pièces galantes en prose et en vers de Madame La Comtesse de La Suze*, 1668, et Charles Jaulnay, *Questions d'amour, ou Conversations galantes, dédiées aux belles*, 1671.

2. Lettre datée du « dernier Septembre 1638 », in *Lettres familières de M. de Balzac à M. Chapelain*, Paris, A. Courbé, 1659, lettre XXV.

3. Lettre du 25 août 1663, in *Œuvres diverses*, éd. P. Clarac, Gallimard, « Bibliothèque de la Pléiade », 1991, p. 533.

Dans *La Comédie des académistes* de Saint-Évremond, le personnage de Mademoiselle de Gournai, caractérisé par sa vieillesse (II, 3), intervenait au cœur des débats pédants ; dans *Les Visionnaires* (1637) de Desmarets de Saint-Sorlin, Sestiane, « amoureuse de la comédie », discutait en termes spécialisés de poétique dramatique. En 1659, déjà, *Les Précieuses ridicules* faisaient rire de femmes dont l'esprit avait été gâté par la lecture : mais il s'agissait alors de la lecture de romans, donc d'un domaine *a priori* féminin, contrairement à la grammaire et à la métaphysique. Le véritable précédent aux *Femmes savantes* est plutôt *L'Académie des femmes* de Chapuzeau. Adaptation théâtrale de son propre dialogue *Le Cercle des femmes* (1656), qui revendique le patronage comique d'Érasme, cette pièce met en scène une érudite, Émilie, passionnée par les théoriciens et les philosophes anciens et modernes. Le comportement d'Émilie, toujours un livre à la main, a conduit son époux à s'éloigner du domicile et à se faire passer pour mort. L'obsession de la lecture, chez la maîtresse de maison, provoque en outre le départ des valets et des servantes [1]. Émilie tient par ailleurs une académie, recevant chez elle quelques amies. La pièce présente l'intérêt de thématiser, avant *Les Femmes savantes*, un écart entre le rapport à l'étude des femmes et celui des hommes. La passion d'Émilie, ridicule à d'autres égards, est néanmoins distinguée, chez Chapuzeau, de l'érudition sotte et obtuse du pédant Hortense, son voisin [2]. L'académie formée par les femmes est elle aussi déjà présentée comme une forme de vengeance contre les hommes [3] (voir Dossier, p. 171-173).

---

1. Samuel Chapuzeau, *L'Académie des femmes*, III, 1, éd. citée, p. 34.
2. À propos d'Hortense, Émilie déclare : « l'entretien d'un pédant m'ennuie infiniment » (*ibid.*, p. 7).
3. De ce point de vue, la fin de la comédie est plus ambiguë que chez Molière, le retour du mari signant la fin du veuvage et de la lecture, et le retour de l'esclavage.

Il faut en effet souligner que si les femmes savantes, chez Molière, présentent plusieurs traits symétriques de ceux de leurs homologues masculins, elles ne constituent pas pour autant un simple miroir de la pédanterie masculine. À la misogynie et au mépris pour la gente féminine des pédants correspond certes, chez Armande, Philaminte et Bélise, le refus de la domination masculine. Mais la comédie de Molière trace une ligne de partage nette entre deux types de rapport déviant au savoir. Alors que Vadius, en pédant traditionnel, mêle des termes latins et grecs à son propos et se réfère à l'autorité des auteurs antiques (III, 3, v. 964-972), Philaminte, Bélise et Armande exhibent quant à elles, on l'a dit, une culture moderne. Les femmes savantes de Molière, tout en admirant en Vadius le savant qui parle grec, n'en appellent pas elles-mêmes à l'autorité d'Aristote. En outre, loin d'être asociales comme le sont leurs homologues masculins, les femmes savantes forment des cercles et accueillent avec une complaisance démesurée, comme les précieuses ridicules, de beaux esprits.

Aucune de ces pédantes sans latin ne s'en tient à une position entièrement cohérente, dans quelque domaine que ce soit, qu'il s'agisse de rapport à la langue ou de doctrine philosophique ou scientifique. Au contraire, la distorsion entre les discours et les comportements, qui suscite le rire, révèle l'incohérence ou le caractère intenable des positions défendues. Armande, qui prône un amour non charnel et une domination parfaite de l'esprit sur le corps, ne parvient aucunement à contrôler ses passions : elle consent aux « nœuds de chair » alors que Clitandre a déjà tourné ses vœux vers Henriette (IV, 2, v. 1235-1240), et elle se laisse aller à la colère [1]. Philaminte, qui rêve, pour son académie, de « faire entrer

---

1. Ce n'est pas anodin : le traité de Sénèque, *De la colère*, qui enseigne à se défaire de cette passion, était encore au XVIIe siècle un modèle de philosophie stoïcienne.

chaque secte [doctrine], et n'en point épouser » (III, 2, v. 876), fait appel à une terminologie elle-même syncrétique, qui porte des traces de cartésianisme mais aussi d'aristotélisme (IV, 1, v. 1130), tandis que sur le plan de la morale elle se prononce en faveur des stoïciens (III, 2, v. 897). En matière de grammaire, elle se réclame de Vaugelas (II, 6, v. 462) mais n'hésite pas à réduire à un point de vue unique les deux théories opposées, celle de Vaugelas qui fait prévaloir l'usage, et celle de Port-Royal fondée sur la raison (*ibid.*, v. 476). Quant à Bélise, qui se réfère également à Vaugelas (II, 7, v. 522), elle emploie aussi bien des termes de la grammaire scolaire (II, 6, v. 482). Entichée des expressions de la physique cartésienne et déclarant n'accueillir que des « vœux épurés » (I, 4, v. 318), elle est aveuglée par une encombrante manie qui la persuade qu'elle est aimée de tous les hommes. La malheureuse est, de surcroît, trahie par un langage au double sens grivois. Son discours invalide le principe même de clarté qui fonde la philosophie cartésienne. Sur ce point, le personnage rejoint d'autres types comiques, ceux de la prude et de l'amoureuse en idée [1].

Par contraste avec ces femmes savantes, Henriette, qui déjà refusait toute concession à l'ostentation (« Je sais peu les beautés de tout ce qu'on écrit,/ Et ce n'est pas mon fait que les choses d'esprit », III, 2, v. 729-730), incarne non seulement le juste rapport au savoir mais aussi les valeurs de la galanterie. Alors que les femmes savantes refusent les « nœuds de la matière » (IV, 2,

---

1. On pense à Hespérie (*Les Visionnaires* [1637] de Desmarets de Saint-Sorlin), qui « croit que tout le monde l'aime » ; Hélène (*Le Docteur amoureux* de Le Vert), qui « malgré le temps usé de [ses] vieilles années » s'imagine « mille amants attirés par [ses] charmes » (scène 2) ; Clorinde (*L'Amoureuse vaine et ridicule* [1657] de Françoise Pascal) ; la Tante du *Baron d'Albikrac* (1668) de Thomas Corneille, qui « dans le premier venu croit voir un protestant [un prétendant] ». Molière avait déjà joué de ce ressort comique dans sa comédie précédente, *La Comtesse d'Escarbagnas*.

v. 1198), Henriette, à rebours, souhaite se marier. Si sa sœur, à l'ouverture de la comédie, la réduit à un « petit personnage » limité « aux choses du ménage » (I, 1, v. 27-28), il ne faut pas s'y tromper : c'est bien Armande qui, aux yeux du public de 1672, a une conception incongrue des rapports amoureux. « Et qu'est-ce qu'à mon âge on a de mieux à faire,/ Que d'attacher à soi, par le titre d'époux,/ Un homme qui vous aime, et soit aimé de vous », interroge Henriette (*ibid.*, v. 20-22). L'idée que la jeunesse est par excellence l'âge pour aimer sature la littérature des années 1660. L'amour y apparaît partout comme une force inévitable contre laquelle on ne saurait lutter [1]. Certes, le mariage a un statut ambivalent dans ce type de littérature : la condition de femme mariée validant juridiquement la soumission de la femme à son époux, le mariage y est souvent présenté comme une pratique bourgeoise et réactionnaire. Mais lorsqu'il symbolise, comme c'est le cas ici, la victoire de l'amour opposé à la raison, il se teinte, à l'inverse, d'une connotation toute positive. La force irrésistible de l'amour contre le déni des sentiments était le thème central d'une autre comédie de Molière, *La Princesse d'Élide* (1664), dont l'héroïne finissait par accepter un mariage qu'elle avait d'abord fermement refusé. Si Armande, dans des vers héroïques repris par Molière de son *Don Garcie de Navarre* (1661), fait usage de maximes d'amour pour tenter de convaincre Clitandre d'infidélité (IV, 2, v. 1169-1174), son argumentation est d'emblée invalidée par le comportement incohérent qu'elle manifeste. Henriette, en revanche, se montre très au fait des usages subtils de la casuistique amoureuse galante lorsqu'elle cherche à dissuader Trissotin de briguer sa main, distinguant

---

1. Voir Jean-Michel Pelous, *Amour précieux, amour galant : 1654-1675. Essai sur la représentation de l'amour dans la littérature et la société mondaines*, Klincksieck, 1980.

estime et amour (V, 1, v. 1479-1480), opposant le pouvoir du cœur à celui de la raison (*ibid.*, v. 1483-1486), et formulant à plusieurs reprises des maximes motivant les justes comportements (*ibid.*, v. 1481, 1497-1500 et 1507-1510).

LA SATIRE D'UN ENNEMI DE LA SATIRE

Les thématiques galantes et les débats contemporains relatifs à la langue, aux sciences et à la philosophie ne sont pas les seuls indices de l'irruption de l'actualité dans *Les Femmes savantes*. Molière emprunte les traits de Trissotin (« le triple sot ») et de Vadius à deux lettrés contemporains, l'abbé Charles Cotin, on l'a dit, et le savant Gilles Ménage.

Les deux poèmes que Trissotin récite à l'acte III sont directement issus des *Œuvres galantes* de Cotin parues en 1663. Le titre du sonnet, modifié par rapport à l'original, évoque une autre œuvre du même auteur [1]. Cotin est un esprit galant, poète et philosophe, qui a été l'aumônier de Louis XIII et l'un des fidèles du salon de la marquise de Rambouillet. Il avait eu une querelle spectaculaire avec Ménage. Ce dernier, dans une épigramme, lui avait reproché une maladresse : dans un poème adressé à Mademoiselle, l'abbé avait fait une allusion indélicate à la surdité de la destinataire. Cotin, piqué, avait consacré un recueil entier, *La Ménagerie*, à détruire la réputation de son confrère, dénoncé notamment comme un pédant et un impudent plagiaire. Cet événement a pu nourrir la querelle de pédants entre Trissotin et Vadius. Il conforte en tout cas l'hypothèse que c'est bien Ménage – ou Ægidius Menagius, comme il se faisait appeler – qui se cache derrière Vadius. D'autres indices viennent à l'appui de cette

---

1. Voir la note 2, p. 92.

lecture : Ménage lit et écrit dans toutes les langues, relève régulièrement dans ses œuvres ce que les autres auteurs ont emprunté à l'Antiquité et prononce le *e* grec comme un *i*[1].

On ignore si, comme le suggère Donneau de Visé[2], des raisons personnelles ont poussé Molière à railler aussi ouvertement l'abbé Cotin. Le fait est que ce dernier, en tant que théologien, est engagé dans un combat anti-gassendiste. Dans le *Théoclée ou la Vraie Philosophie des principes du monde* (1646), il conteste l'idée que le monde est dû à un hasard d'assemblage d'atomes ou petits corps, mus par leur pesanteur naturelle[3]. Son *Traité de l'âme immortelle* (1655) exprime une profonde réticence à l'idée que des atomes pourraient provoquer des sentiments. Il cherche à prouver que la nature de l'âme « n'est ni corps ni composée de corps[4] » et que « ses plus hautes fonctions n'ont rien de commun avec la matière[5] ». Ces thèses faisaient de lui un personnage susceptible d'être attaqué dans une comédie qui s'amuse des usages immodérés de la théorie dualiste.

Surtout, Molière avait l'occasion, avec ce personnage, de pousser le comique très loin en s'en prenant à un contemporain dont l'un des plus grands titres de gloire était précisément de s'être opposé avec une violence démesurée au principe de la satire *ad hominem*. Même si, depuis l'Antiquité, les règles de la bonne satire préconisent de ne pas s'élever contre des personnes identifiables, la littérature comique ne manque pas d'exemples

---

1. Voir C. Bourqui et G. Forestier, « Notice » des *Femmes savantes*, éd. citée, p. 1520-1522, ainsi que, dans la présente édition, l'annotation des scènes III, 2-4 et IV, 3.

2. Voir Dossier, p. 162-163.

3. Charles Cotin, *Théoclée ou la Vraie Philosophie des principes du monde*, Paris, A. de Sommaville, 1646, p. 28 et 31.

4. Charles Cotin, *Traité de l'âme immortelle*, Paris, A. de Sommaville, 1655, p. 25.

5. *Ibid.*, avant-propos, n.p.

d'infractions. *La Comédie des académistes*, par exemple, raillait déjà les premiers académiciens en les citant par leurs noms. Cotin, considéré par Boileau comme un bel esprit vaniteux, avait été à plusieurs reprises nommément attaqué dans les *Satires*, parues en 1666, et ce, alors même qu'il s'était déjà prononcé, avant la parution de cet ouvrage, contre le principe des attaques nominales [1]. L'abbé avait répliqué avec violence en publiant un pamphlet, *Despreaux, ou la Satire des Satires*, et probablement aussi l'anonyme *Critique désintéressée sur les satires du temps*, où il redisait sa position, cette fois avec vigueur et agressivité. Il avait poussé le ridicule jusqu'à publier dans ses *Œuvres galantes* un éloge outré de sa propre patience à supporter la raillerie. Molière s'amuse ici à louer ironiquement, dans les propos de Clitandre, son invulnérabilité à la critique (IV, 3, v. 1322). En proposant une attaque aussi peu voilée de Cotin, tout en respectant à la lettre le principe qui consiste à ne pas citer le véritable nom de sa victime, Molière fait preuve, encore une fois, d'un humour parfaitement provocateur, en se mêlant à la querelle sur le mode de la surenchère.

De toutes les pièces de Molière, *Les Femmes savantes* sont sans aucun doute, précisément, l'une des plus savantes. Étroitement ancrée dans le contexte scientifique et philosophique de son temps, cette comédie est aussi l'une de celles qui manifestent le plus clairement les affinités entre la pensée de Molière et les théories gassendistes. Il peut sembler mystérieux, pour cette raison même, que trois siècles et demi après sa création, elle suscite encore l'intérêt des lecteurs, des spectateurs, et des metteurs en

---

1. « La loi de la satire et la loi de la raison, c'est d'épargner le criminel et non pas le crime » (Charles Cotin, Lettre à Monsieur Tuffier sur la Satire et principalement sur le madrigal, in *Œuvres galantes en prose et en vers*, Paris, E. Loyson, 1663, p. 452-453).

scène qui, chaque année ou presque, en font une nouvelle adaptation. Dans notre société, les femmes grammairiennes ou astronomes ne prêtent plus à rire. Mais le pédantisme, lui, reste risible, tout comme le recours systématique et non critique aux dernières notions ou théories à la mode. Qui plus est, en raillant de façon outrageuse ceux-là même qui refusent la satire, et en faisant rire des rigueurs stoïciennes qui conduisent les femmes à refuser l'évidence de l'amour, *Les Femmes savantes* expriment en creux des valeurs profondément modernes, celles du jugement individuel, du plaisir et des droits du corps.

Lise MICHEL

NOTE SUR LA PRÉSENTE ÉDITION

Le texte de la présente édition a été établi d'après l'édition originale (Pierre Promé, 1672). Pour faciliter la lecture, l'orthographe a été modernisée (« côté » pour « costé », « vide » pour « vuide », « n'ont pas cru » pour « n'ont pas crû », etc.). L'usage des majuscules a également été mis en conformité avec celui du français moderne. La ponctuation, en revanche, qui possède souvent une valeur directement expressive sur le plan de l'intonation ou du rythme, et qui par conséquent engage le sens des vers, a pour cette raison été conservée selon la leçon de l'édition originale. On ne devra donc pas s'étonner de trouver des répliques s'achevant par une virgule lorsqu'elles obéissent à un fonctionnement choral (lecture du sonnet de Trissotin : v. 764, 803-805, 811-812), ou un point d'interrogation sans question directe lorsque le propos exprime l'admiration ou l'étonnement (entre les v. 803 et 804, et aux v. 810, 824, 1628 et 1640). La ponctuation des v. 238, 832, 1060, 1082, 1170, 1305, 1568 et 1597, indéchiffrable ou manifestement erronée, a quant à elle été corrigée.

Dans les notes de bas de page, les références aux dictionnaires ont été abrégées. Il s'agit des ouvrages suivants :

Nicot   Jean Nicot, *Thrésor de la langue françoyse, tant ancienne que moderne*, 1606.

Richelet   Pierre Richelet, *Dictionnaire françois*, 1680.

Furetière	Antoine Furetière, *Dictionnaire universel*, 1690.
Académie	*Le Dictionnaire de l'Académie françoise, dédié au Roy*, 1694.

Les termes signalés par un astérisque (*) sont expliqués dans le Glossaire, p. 201-202.

L. M.

Les Femmes savantes

Comédie.
par J.B.P. Molière.

Et se vend pour l'auteur.
À Paris,
Au Palais, &
Chez Pierre Promé,
sur le Quai des Grands-Augustins,
à la Charité.

M. DC. LXXII.

Avec privilège du Roi.

Extrait du privilège du Roi.

Par grâce et privilège du Roi, donné à Paris le 31 décembre 1670. Signé, par le Roi en son conseil, GUITONNEAU. Il est permis à J.B.P. MOLIÈRE, de faire imprimer par tel imprimeur ou libraire qu'il voudra choisir, une pièce de théâtre de sa composition, intitulée *Les Femmes Savantes* ; et ce pendant le temps et espace de dix ans, à compter du jour que ladite pièce sera achevée d'imprimer pour la première fois : Et défenses sont faites à toutes personnes de quelque qualité et condition, qu'ils soient, d'imprimer, ou faire imprimer ladite pièce, sans le consentement de l'exposant, ou de ceux qui auront droit de lui, à peine de six mille livres d'amende, et de tous dépens, dommages et intérêts, ainsi que plus au long il est porté audit privilège.

Registré sur le Livre de la Communauté, le 13 mars 1671.

Signé, L. SEVESTRE, Syndic.

Achevé d'imprimer le 10 décembre 1672.

ACTEURS [1]

CHRYSALE, *bon bourgeois* [2].
PHILAMINTE [3], *femme de Chrysale*.
ARMANDE ⎱ *filles de Chrysale et de Philaminte*.
HENRIETTE ⎰
ARISTE, *frère de Chrysale*.
BÉLISE, *sœur de Chrysale*.
CLITANDRE, *amant* d'Henriette*.
TRISSOTIN, *bel esprit* [4].
VADIUS, *savant* [5].
MARTINE, *servante de cuisine*.
L'ÉPINE, *laquais de Trissotin*.
JULIEN, *valet de Vadius*.
LE NOTAIRE.

La scène est à Paris.

---

1. Le terme, au XVIIe siècle, désigne aussi les personnages. Sur la distribution probable des rôles lors de la création de la pièce et sur le costume porté par Molière, voir Présentation, p. 8.
2. Ce statut caractérise le personnage en opposition aux valeurs de la cour et de la civilité mondaine.
3. « Qui aime l'esprit. » Alliance d'une racine grecque (*phil-*) et d'un terme latin (*mens*).
4. À l'origine, homme ou auteur galant et spirituel. Dans la seconde moitié du XVIIe siècle, le terme prend une acception péjorative en désignant celui qui s'affiche comme tel.
5. La terminaison en *-us* évoque les noms latins que se donnaient certains érudits. Ces « savants en *-us* », dans les comédies, sont d'emblée assimilés à des pédants.

LES FEMMES SAVANTES. COMÉDIE.

ACTE PREMIER

Scène première

ARMANDE, HENRIETTE.

ARMANDE

Quoi, le beau nom de fille [1] est un titre, ma sœur,
Dont vous voulez quitter la charmante* douceur ?
Et de vous marier vous osez faire fête ?
Ce vulgaire* dessein vous peut monter en tête ?

HENRIETTE

5 Oui, ma sœur.

ARMANDE

Ah ce *oui* se peut-il supporter ?
Et sans un mal de cœur saurait-on l'écouter ?

HENRIETTE

Qu'a donc le mariage en soi qui vous oblige,
Ma sœur...

ARMANDE

Ah mon Dieu, fi [2].

HENRIETTE

Comment ?

---

1. Femme non mariée.
2. Interjection « qui marque qu'une chose est dégoûtante et vilaine.
Qui marque qu'on ne veut point d'une chose » (Richelet).

ARMANDE

                                    Ah fi, vous dis-je.
Ne concevez-vous point ce que, dès qu'on l'entend,
10 Un tel mot à l'esprit offre de dégoûtant ?
De quelle étrange* image on est par lui blessée ?
Sur quelle sale vue il traîne la pensée ?
N'en frissonnez-vous point ? et pouvez-vous, ma sœur,
Aux suites de ce mot résoudre votre cœur ?

HENRIETTE

15 Les suites de ce mot, quand je les envisage,
Me font voir un mari, des enfants, un ménage ;
Et je ne vois rien là, si j'en puis raisonner,
Qui blesse la pensée et fasse frissonner.

ARMANDE

De tels attachements [1], ô ciel ! sont pour vous plaire ?

HENRIETTE

20 Et qu'est-ce qu'à mon âge [2] on a de mieux à faire,
Que d'attacher à soi, par le titre d'époux,
Un homme qui vous aime, et soit aimé de vous ;
Et de cette union, de tendresse suivie,
Se faire les douceurs d'une innocente vie ?
25 Ce nœud, bien assorti, n'a-t-il pas des appas ?

ARMANDE

Mon Dieu, que votre esprit est d'un étage bas !
Que vous jouez au monde un petit personnage [3],

---

1. Par opposition au « détachement » des considérations matérielles
que revendique Armande. Deux vers plus bas, Henriette reprend le
terme « attacher » en lui restituant son sens courant.

2. L'idée selon laquelle la jeunesse est par excellence l'âge de l'amour
est omniprésente dans la littérature galante depuis les années 1660,
dans le contexte de l'avènement au pouvoir de Louis XIV, un roi jeune
et amoureux. Molière en avait fait le thème central de *La Princesse
d'Élide* (1664). Aux yeux du premier public des *Femmes savantes*, la
réponse d'Henriette est celle d'une jeune femme moderne.

3. Le lieu commun selon lequel le monde est un théâtre où chaque
homme joue son rôle est un motif central de la pensée stoïcienne (voir
par exemple Juste Lipse, *De la constance*, I, 8).

De vous claquemurer [1] aux choses du ménage,
Et de n'entrevoir point de plaisirs plus touchants,
30 Qu'un idole [2] d'époux, et des marmots d'enfants !
Laissez aux gens grossiers, aux personnes vulgaires*,
Les bas amusements [3] de ces sortes d'affaires.
À de plus hauts objets élevez vos désirs,
Songez à prendre un goût des plus nobles plaisirs,
35 Et traitant de [4] mépris les sens et la matière,
À l'esprit, comme nous, donnez-vous toute entière :
Vous avez notre mère en exemple à vos yeux,
Que du nom de savante on honore en tous lieux,
Tâchez ainsi que moi de vous montrer sa fille,
40 Aspirez aux clartés qui sont dans la famille,
Et vous rendez sensible aux charmantes* douceurs
Que l'amour de l'étude épanche dans les cœurs :
Loin d'être aux lois d'un homme en esclave asservie ;
Mariez-vous, ma sœur, à la philosophie,
45 Qui nous monte au-dessus de tout le genre humain,
Et donne à la raison l'empire souverain,
Soumettant à ses lois la partie animale
Dont l'appétit grossier aux bêtes nous ravale [5].
Ce sont là les beaux feux, les doux attachements,
50 Qui doivent de la vie occuper les moments ;
Et les soins où je vois tant de femmes sensibles [6],
Me paraissent aux yeux des pauvretés horribles.

---

1. Borner.
2. « Se dit figurément d'une personne qui n'a point d'esprit, qui n'a point de paroles, d'action, [...] qui paraît insensible comme une statue » (Furetière).
3. Occupations sans intérêt.
4. Avec.
5. Dans la philosophie stoïcienne, la véritable nature de l'homme est rationnelle. L'homme accède donc à sa pleine humanité en faisant triompher la raison sur ses appétits (impulsions) biologiques.
6. Les soucis où je vois tant de femmes lorsqu'elles sont guidées par leurs sens.

HENRIETTE

Le ciel, dont nous voyons que l'ordre est tout puissant,
Pour différents emplois nous fabrique en naissant ;
55 Et tout esprit n'est pas composé d'une étoffe
Qui se trouve taillée à faire un philosophe.
Si le vôtre est né propre aux élévations
Où montent des savants les spéculations,
Le mien est fait, ma sœur, pour aller terre à terre,
60 Et dans les petits soins son faible se resserre[1].
Ne troublons point du ciel les justes règlements,
Et de nos deux instincts suivons les mouvements ;
Habitez par l'essor d'un grand et beau génie[2],
Les hautes régions de la philosophie,
65 Tandis que mon esprit se tenant ici-bas,
Goûtera de l'hymen les terrestres appas.
Ainsi, dans nos desseins l'une à l'autre contraire,
Nous saurons toutes deux imiter notre mère ;
Vous, du côté de l'âme et des nobles désirs,
70 Moi, du côté des sens et des grossiers plaisirs ;
Vous, aux productions d'esprit et de lumière,
Moi, dans celles, ma sœur, qui sont de la matière.

ARMANDE

Quand sur une personne on prétend se régler,
C'est par les beaux côtés qu'il lui faut ressembler ;
75 Et ce n'est point du tout la prendre pour modèle,
Ma sœur, que de tousser et de cracher comme elle[3].

HENRIETTE

Mais vous ne seriez pas ce dont vous vous vantez,

---

1. Sa préférence se niche dans les petites occupations.
2. Disposition naturelle.
3. Au livre XI de *La Vraie Histoire comique de Francion* (1633), roman de Charles Sorel, le jeune Francion met en garde son pédant précepteur Hortensius, mauvais plagiaire : « gardez d'imiter les auteurs en ce qu'ils font de mal et d'impertinent : ce n'est pas imiter un homme de ne faire que péter ou tousser comme lui ».

Si ma mère n'eût eu que de ces beaux côtés ;
Et bien vous prend, ma sœur, que son noble génie
80 N'ait pas vaqué toujours à la philosophie.
De grâce, souffrez-moi par un peu de bonté,
Des bassesses à qui vous devez la clarté [1] ;
Et ne supprimez point, voulant qu'on vous seconde [2],
Quelque petit savant qui veut venir au monde.

ARMANDE

85 Je vois que votre esprit ne peut être guéri
Du fol entêtement de vous faire un mari :
Mais sachons, s'il vous plaît, qui vous songez à prendre ?
Votre visée, au moins, n'est pas mise à Clitandre.

HENRIETTE

Et par quelle raison n'y serait-elle pas ?
90 Manque-t-il de mérite ? Est-ce un choix qui soit bas ?

ARMANDE

Non, mais c'est un dessein qui serait malhonnête [3],
Que de vouloir d'un [4] autre enlever la conquête ;
Et ce n'est pas un fait dans le monde ignoré,
Que Clitandre ait pour moi hautement soupiré.

HENRIETTE

95 Oui, mais tous ces soupirs chez vous sont choses vaines,
Et vous ne tombez point aux bassesses humaines ;
Votre esprit à l'hymen renonce pour toujours,
Et la philosophie a toutes vos amours :
Ainsi n'ayant au cœur nul dessein pour Clitandre,
100 Que vous importe-t-il qu'on y puisse prétendre ?

ARMANDE

Cet empire que tient la raison sur les sens

---

1. Autorisez-moi des bassesses auxquelles vous devez la vie.
2. Que l'on suive votre exemple.
3. Inapproprié, en termes de comportement.
4. Pour « d'une ».

Ne fait pas renoncer aux douceurs des encens ;
Et l'on peut pour époux refuser un mérite
Que pour adorateur on veut bien à sa suite.

HENRIETTE

105 Je n'ai pas empêché qu'à vos perfections
Il n'ait continué ses adorations ;
Et je n'ai fait que prendre, au refus de votre âme,
Ce qu'est venu m'offrir l'hommage de sa flamme.

ARMANDE

Mais à l'offre des vœux d'un amant* dépité,
110 Trouvez-vous, je vous prie, entière sûreté [1] ?
Croyez-vous pour vos yeux sa passion bien forte,
Et qu'en son cœur pour moi toute flamme soit morte ?

HENRIETTE

Il me le dit, ma sœur, et pour moi je le crois.

ARMANDE

Ne soyez pas, ma sœur, d'une si bonne foi [2],
115 Et croyez, quand il dit qu'il me quitte et vous aime,
Qu'il n'y songe pas bien, et se trompe lui-même.

HENRIETTE

Je ne sais ; mais enfin, si c'est votre plaisir,
Il nous est bien aisé de nous en éclaircir.
Je l'aperçois qui vient, et sur cette matière
120 Il pourra nous donner une pleine lumière.

---

1. La question de savoir si les anciennes amours peuvent être entièrement éteintes est une « question d'amour », ou problème de casuistique galante : « Ah ! qu'il est dangereux quand on a bien aimé,/ De revoir les beaux yeux qui nous avaient charmé/ Et que, dans cet état, la forte sympathie/ Rallume promptement une flamme amortie ! » (*Seconde partie du Recueil de pièces galantes en prose et en vers de Madame la Comtesse de La Suze*, Paris, G. Quinet, 1668, p. 3).
2. D'une telle naïveté.

Scène 2

CLITANDRE, ARMANDE, HENRIETTE.

HENRIETTE

Pour me tirer d'un doute où me jette ma sœur,
Entre elle et moi, Clitandre, expliquez votre cœur,
Découvrez-en le fond, et nous daignez apprendre
Qui de nous à vos vœux est en droit de prétendre.

ARMANDE

125 Non, non, je ne veux point à votre passion
Imposer la rigueur d'une explication ;
Je ménage les gens, et sais comme embarrasse
Le contraignant effort* de ces aveux en face.

CLITANDRE

Non, Madame, mon cœur, qui dissimule peu,
130 Ne sent nulle contrainte à faire un libre aveu ;
Dans aucun embarras un tel pas ne me jette,
Et j'avouerai tout haut d'une âme franche et nette,
Que les tendres liens où je suis arrêté,
Mon amour et mes vœux, sont tout de ce côté.
135 Qu'à nulle émotion cet aveu ne vous porte ;
Vous avez bien voulu les choses de la sorte,
Vos attraits m'avaient pris, et mes tendres soupirs
Vous ont assez prouvé l'ardeur de mes désirs :
Mon cœur vous consacrait une flamme immortelle,
140 Mais vos yeux n'ont pas cru leur conquête assez belle ;
J'ai souffert sous leur joug cent mépris différents,
Ils régnaient sur mon âme en superbes tyrans,
Et je me suis cherché, lassé de tant de peines,
Des vainqueurs plus humains, et de moins rudes chaînes :
145 Je les ai rencontrés, Madame, dans ces yeux,
Et leurs traits à jamais me seront précieux ;

D'un regard pitoyable [1] ils ont séché mes larmes,
Et n'ont pas dédaigné le rebut de vos charmes [2] ;
De si rares bontés m'ont si bien su toucher,
150 Qu'il n'est rien qui me puisse à mes fers arracher ;
Et j'ose maintenant vous conjurer, Madame,
De ne vouloir tenter nul effort* sur ma flamme,
De ne point essayer à rappeler un cœur
Résolu de mourir dans cette douce ardeur.

ARMANDE

155 Eh qui vous dit, Monsieur, que l'on ait cette envie [3],
Et que de vous enfin si fort on se soucie ?
Je vous trouve plaisant [4], de vous le figurer ;
Et bien impertinent, de me le déclarer.

HENRIETTE

Eh doucement, ma sœur. Où donc est la morale
160 Qui sait si bien régir la partie animale,
Et retenir la bride aux efforts* du courroux [5] ?

ARMANDE

Mais vous qui m'en parlez, où la pratiquez-vous,
De répondre à l'amour que l'on vous fait paraître,
Sans le congé [6] de ceux qui vous ont donné l'être ?
165 Sachez que le devoir vous soumet à leurs lois,

---

1. Plein de pitié.
2. La littérature galante fait la part belle à la question des amours « de seconde main ». Dans *Le Misanthrope* (1677), Alceste s'adresse à Éliante en ces termes : « Que ce serait pour vous un hommage trop bas/ Que le rebut d'un cœur qui ne vous valait pas » (V, 4, v. 1793-1794). Voir aussi la note des v. 109-110.
3. Dans *Le Misanthrope* (V, 4, v. 1723), la prude Arsinoé a une réaction similaire.
4. Drôle.
5. Le motif stoïcien de la victoire de la raison sur la colère fait l'objet de l'un des traités les plus célèbres de Sénèque, *Sur la colère*, traduit et édité plusieurs fois au cours du XVIIe siècle, et qui avait été réédité en 1669.
6. L'autorisation.

Qu'il ne vous est permis d'aimer que par leur choix,
Qu'ils ont sur votre cœur l'autorité suprême,
Et qu'il est criminel d'en disposer vous-même.

HENRIETTE

Je rends grâce aux bontés que vous me faites voir,
170 De m'enseigner si bien les choses du devoir ;
Mon cœur sur vos leçons veut régler sa conduite,
Et pour vous faire voir, ma sœur, que j'en profite ;
Clitandre, prenez soin d'appuyer votre amour
De l'agrément de ceux dont j'ai reçu le jour,
175 Faites-vous sur mes vœux un pouvoir légitime,
Et me donnez moyen de vous aimer sans crime.

CLITANDRE

J'y vais de tous mes soins travailler hautement,
Et j'attendais de vous ce doux consentement.

ARMANDE

Vous triomphez, ma sœur, et faites une mine
180 À vous imaginer que cela me chagrine*.

HENRIETTE

Moi, ma sœur, point du tout, je sais que sur vos sens
Les droits de la raison sont toujours tout puissants,
Et que par les leçons qu'on prend dans la sagesse,
Vous êtes au-dessus d'une telle faiblesse.
185 Loin de vous soupçonner d'aucun chagrin*, je crois
Qu'ici vous daignerez vous employer pour moi,
Appuyer sa demande, et de votre suffrage*
Presser l'heureux moment de notre mariage.
Je vous en sollicite ; et pour y travailler…

ARMANDE

190 Votre petit esprit se mêle de railler,
Et d'un cœur qu'on vous jette on vous voit toute fière.

HENRIETTE

Tout jeté qu'est ce cœur, il ne vous déplaît guère ;
Et si vos yeux sur moi le pouvaient ramasser,
Ils prendraient aisément le soin de se baisser.

ARMANDE

195 À répondre à cela je ne daigne descendre,
Et ce sont sots discours qu'il ne faut pas entendre.

HENRIETTE

C'est fort bien fait à vous, et vous nous faites voir
Des modérations qu'on ne peut concevoir.

Scène 3

CLITANDRE, HENRIETTE.

HENRIETTE

Votre sincère aveu ne l'a pas peu surprise.

CLITANDRE

200 Elle mérite assez [1] une telle franchise,
Et toutes les hauteurs de sa folle fierté
Sont dignes tout au moins de ma sincérité :
Mais puisqu'il m'est permis, je vais à votre père,
Madame…

HENRIETTE

Le plus sûr est de gagner ma mère :
205 Mon père est d'une humeur* à consentir à tout,
Mais il met peu de poids aux choses qu'il résout [2] ;

---

1. Suffisamment.
2. Dans les termes du traité des *Passions de l'âme* (1649) de Descartes, cette caractérisation définit la lâcheté, « langueur ou froideur qui empêche l'âme de se porter à l'exécution des choses qu'elle ferait si elle était exempte de cette passion » (art. 174).

Il a reçu du ciel certaine bonté d'âme,
Qui le soumet d'abord* à ce que veut sa femme ;
C'est elle qui gouverne, et d'un ton absolu
210 Elle dicte pour loi ce qu'elle a résolu.
Je voudrais bien vous voir pour elle, et pour ma tante,
Une âme, je l'avoue, un peu plus complaisante,
Un esprit qui flattant les visions* du leur,
Vous pût de leur estime attirer la chaleur.

CLITANDRE

215 Mon cœur n'a jamais pu, tant il est né sincère,
Même dans[1] votre sœur flatter leur caractère,
Et les femmes docteurs[2] ne sont point de mon goût.
Je consens qu'une femme ait des clartés de tout,
Mais je ne lui veux point la passion[3] choquante
220 De se rendre savante afin d'être savante ;
Et j'aime que souvent, aux questions qu'on fait,
Elle sache ignorer les choses qu'elle sait[4] ;
De son étude enfin je veux qu'elle se cache,

---

1. Chez.
2. Dans la comédie italienne et française, le docteur est l'incarnation du pédantisme. Le doctorat ne pouvant être accordé aux femmes, l'image d'une femme docteur a une charge d'autant plus comique.
3. Ici, au sens de « penchant ».
4. Clitandre ne fait pas ici un éloge de l'ignorance féminine, mais formule un refus du pédantisme. Dans le roman de Madeleine et Georges de Scudéry, *Artamène ou le Grand Cyrus* (1649-1653), le personnage de Sapho, référence pour les contemporains en matière d'idéologie galante, indique de même : « Je veux donc bien qu'on puisse dire d'une personne de mon sexe qu'elle sait cent choses dont elle ne se vante pas ; [...] mais je ne veux pas qu'on puisse dire d'elle : "*C'est une femme savante*" [...]. Ce n'est pas que celle qu'on n'appellera point savante ne puisse savoir autant et plus de choses que celle à qui on donnera ce terrible nom, mais c'est qu'elle se sait mieux servir de son esprit et qu'elle sait cacher adroitement ce que l'autre montre mal à propos » (X^e partie, livre II). Sur cette question, voir Présentation, p. 25 *sq.*, et Dossier, p. 168-171. Ici, comme plus bas au v. 224, la formulation de Clitandre repose sur le principe galant du paradoxe. Voir aussi la note du v. 1284.

Et qu'elle ait du savoir sans vouloir qu'on le sache,
225 Sans citer les auteurs, sans dire de grands mots,
Et clouer de l'esprit à ses moindres propos.
Je respecte beaucoup Madame votre mère,
Mais je ne puis du tout approuver sa chimère,
Et me rendre l'écho des choses qu'elle dit
230 Aux encens qu'elle donne [1] à son héros d'esprit.
Son Monsieur Trissotin me chagrine*, m'assomme,
Et j'enrage de voir qu'elle estime un tel homme,
Qu'elle nous mette au rang des grands et beaux esprits
Un benêt dont partout on siffle les écrits,
235 Un pédant dont on voit la plume libérale [2]
D'officieux papiers fournir toute la Halle [3].

HENRIETTE

Ses écrits, ses discours, tout m'en semble ennuyeux,
Et je me trouve assez votre goût et vos yeux :
Mais comme sur ma mère il a grande puissance,
240 Vous devez vous forcer à quelque complaisance.
Un amant* fait sa cour où s'attache son cœur [4],
Il veut de tout le monde y gagner la faveur ;
Et, pour n'avoir personne à sa flamme contraire,
Jusqu'au chien du logis il s'efforce de plaire [5].

CLITANDRE

245 Oui, vous avez raison ; mais Monsieur Trissotin
M'inspire au fond de l'âme un dominant chagrin*.

---

1. Dans la vénération qu'elle manifeste.
2. Généreuse, qui produit beaucoup.
3. Officieux : qui rendent service. Les nombreux écrits de Trissotin sont très utiles pour emballer les denrées du marché alimentaire des Halles.
4. Maxime d'amour ; voir la note du v. 110.
5. Même plaisanterie dans « La Mandragore », paru dans le volume des *Contes et nouvelles en vers* de La Fontaine en 1671 : « [Il sut] Comment gagner les confidents d'amours,/ Et la nourrice, et le confesseur même,/ Jusques au chien ; tout y fait quand on aime./ Tout tend aux fins » (troisième partie).

Je ne puis consentir, pour gagner ses suffrages*,
À me déshonorer, en prisant ses ouvrages ;
C'est par eux qu'à mes yeux il a d'abord paru,
250 Et je le connaissais avant que l'avoir vu.
Je vis dans le fatras des écrits qu'il nous donne,
Ce qu'étale en tous lieux sa pédante personne,
La constante hauteur de sa présomption ;
Cette intrépidité de bonne opinion [1] ;
255 Cet indolent [2] état de confiance extrême,
Qui le rend en tout temps si content* de soi-même,
Qui fait qu'à son mérite incessamment il rit [3] ;
Qu'il se sait si bon gré de tout ce qu'il écrit ;
Et qu'il ne voudrait pas changer sa renommée
260 Contre tous les honneurs d'un général d'armée.

HENRIETTE

C'est avoir de bons yeux, que de voir tout cela.

CLITANDRE

Jusques à sa figure [4] encor la chose alla,
Et je vis par les vers qu'à la tête il nous jette,
De quel air [5] il fallait que fût fait le poète ;
265 Et j'en avais si bien deviné tous les traits,
Que rencontrant un homme un jour dans le Palais [6],
Je gageai que c'était Trissotin en personne,

---

1. L'assurance déplacée que lui donne la bonne opinion qu'il a de lui-même. Cotin, modèle du personnage de Trissotin, faisait précéder la plupart de ses écrits ou poèmes d'une lettre d'admiration hyperbolique censée avoir été écrite par un premier (ou plus souvent une première) lecteur ou auditeur.
2. « Qui n'est touché de rien » (Richelet).
3. Ici, il est satisfait, réjoui. La deuxième des *Satires* (1664) de Boileau, adressée à Molière, raillait en des termes proches le type de l'auteur « sot » : « Et toujours amoureux de ce qu'il vient d'écrire/ Ravi d'étonnement en soi-même il s'admire. »
4. Son physique.
5. De quelle apparence.
6. Le Palais de justice, dont la galerie héberge les libraires à la mode.

Et je vis qu'en effet la gageure était bonne.

HENRIETTE

Quel conte[1] !

CLITANDRE

Non, je dis la chose comme elle est :
270 Mais je vois votre tante. Agréez, s'il vous plaît,
Que mon cœur lui déclare ici notre mystère[2],
Et gagne sa faveur auprès de votre mère.

Scène 4

CLITANDRE, BÉLISE.

CLITANDRE

Souffrez, pour vous parler, Madame, qu'un amant*
Prenne l'occasion de cet heureux moment,
275 Et se découvre à vous de la sincère flamme…

BÉLISE

Ah tout beau, gardez-vous de m'ouvrir trop votre âme[3] :
Si je vous ai su mettre au rang de mes amants*,
Contentez-vous des yeux pour vos seuls truchements*,
Et ne m'expliquez point par un autre langage
280 Des désirs qui chez moi passent pour un outrage ;
Aimez-moi, soupirez, brûlez pour mes appas,
Mais qu'il me soit permis de ne le savoir pas :
Je puis fermer les yeux sur vos flammes secrètes,
Tant que vous vous tiendrez aux muets interprètes ;
285 Mais si la bouche vient à s'en vouloir mêler,
Pour jamais de ma vue il vous faut exiler.

---

1. Quelle histoire amusante, quelle plaisanterie !
2. Notre affaire secrète.
3. Voir Présentation, p. 30, et note.

CLITANDRE

Des projets de mon cœur ne prenez point d'alarme ;
Henriette, Madame, est l'objet qui me charme*,
Et je viens ardemment conjurer vos bontés
290 De seconder l'amour que j'ai pour ses beautés.

BÉLISE

Ah certes le détour est d'esprit, je l'avoue,
Ce subtil faux-fuyant mérite qu'on le loue ;
Et dans tous les romans où j'ai jeté les yeux,
Je n'ai rien rencontré de plus ingénieux.

CLITANDRE

295 Ceci n'est point du tout un trait d'esprit, Madame,
Et c'est un pur aveu de ce que j'ai dans l'âme.
Les cieux, par les liens d'une immuable ardeur,
Aux beautés d'Henriette ont attaché mon cœur ;
Henriette me tient sous son aimable* empire,
300 Et l'hymen d'Henriette est le bien où j'aspire ;
Vous y pouvez beaucoup, et tout ce que je veux,
C'est que vous y daigniez favoriser mes vœux.

BÉLISE

Je vois où doucement[1] veut aller la demande,
Et je sais sous ce nom ce qu'il faut que j'entende* ;
305 La figure est adroite, et pour n'en point sortir,
Aux[2] choses que mon cœur m'offre à vous repartir,
Je dirai qu'Henriette à l'hymen est rebelle,
Et que sans rien prétendre, il faut brûler pour elle.

CLITANDRE

Eh, Madame, à quoi bon un pareil embarras,
310 Et pourquoi voulez-vous penser ce qui n'est pas ?

---

1. À mots couverts.
2. Dans les.

BÉLISE

Mon Dieu, point de façons ; cessez de vous défendre
De ce que vos regards m'ont souvent fait entendre* ;
Il suffit que l'on est contente* du détour
Dont s'est adroitement avisé votre amour,
315 Et que, sous la figure où le respect l'engage,
On veut bien se résoudre à souffrir son hommage,
Pourvu que ses transports par l'honneur éclairés
N'offrent à mes autels que des vœux épurés [1].

CLITANDRE

Mais...

BÉLISE

          Adieu, pour ce coup ceci doit vous suffire,
320 Et je vous ai plus dit que je ne voulais dire.

CLITANDRE

Mais votre erreur...

BÉLISE

                Laissez, je rougis maintenant,
Et ma pudeur s'est fait un effort* surprenant.

CLITANDRE

Je veux être pendu, si je vous aime, et sage...

BÉLISE

Non, non, je ne veux rien entendre davantage.

CLITANDRE

325 Diantre [2] soit de la folle avec ses visions*.
A-t-on rien vu d'égal à ces préventions [3] ?

---

1. Ne me rendent que des hommages immatériels.
2. Formule de rejet. « Diantre : terme populaire dont se servent ceux
qui font scrupule de nommer le diable » (Furetière).
3. Ici, idées fixes.

Allons commettre un autre au soin que l'on me donne [1],
Et prenons le secours d'une sage personne.

Fin du premier acte.

---

1. Employer quelqu'un d'autre pour la mission que l'on me donne
(voir v. 173-174).

ACTE II

Scène première

ARISTE

Oui, je vous porterai la réponse au plus tôt ;
330 J'appuierai, presserai, ferai tout ce qu'il faut [1].
Qu'un amant*, pour un mot, a de choses à dire !
Et qu'impatiemment il veut ce qu'il désire !
Jamais…

Scène 2

CHRYSALE, ARISTE.

ARISTE

Ah, Dieu vous gard [2], mon frère.

CHRYSALE

Et vous aussi,

Mon frère.

ARISTE

Savez-vous ce qui m'amène ici ?

---

1. Les vers 329 et 330 s'adressent à Clitandre, qui se trouve hors scène.
2. « On dit par maniere de salut *Dieu vous gard* entre gens fort familiers » (Furetière).

CHRYSALE

335 Non ; mais, si vous voulez, je suis prêt à l'apprendre.

ARISTE

Depuis assez longtemps vous connaissez Clitandre ?

CHRYSALE

Sans doute*, et je le vois qui fréquente [1] chez nous.

ARISTE

En quelle estime est-il, mon frère, auprès de vous ?

CHRYSALE

D'homme d'honneur, d'esprit, de cœur [2], et de conduite [3],
340 Et je vois peu de gens qui soient de son mérite.

ARISTE

Certain désir qu'il a, conduit ici mes pas,
Et je me réjouis que vous en fassiez cas.

CHRYSALE

Je connus feu son père en mon voyage à Rome [4].

ARISTE

Fort bien.

CHRYSALE

C'était, mon frère, un fort bon gentilhomme.

ARISTE

345 On le dit.

CHRYSALE

Nous n'avions alors que vingt-huit ans,
Et nous étions, ma foi, tous deux de verts galants [5].

---

1. Vient souvent.
2. Courage.
3. Bon jugement.
4. Le voyage à Rome, ancienne pratique érudite, était devenu incontournable dans la bourgeoisie depuis le milieu du XVIIe siècle (voir Présentation, p. 13).
5. « Jeunes hommes, vifs, alertes, et vigoureux » (Académie).

ARISTE

Je le crois.

CHRYSALE

Nous donnions[1] chez les dames romaines,
Et tout le monde là parlait de nos fredaines[2] ;
Nous faisions des jaloux.

ARISTE

Voilà qui va des mieux[3] :
350 Mais venons au sujet qui m'amène en ces lieux.

Scène 3

BÉLISE, CHRYSALE, ARISTE.

ARISTE

Clitandre auprès de vous me fait son interprète,
Et son cœur est épris des grâces d'Henriette.

CHRYSALE

Quoi, de ma fille ?

ARISTE

Oui, Clitandre en est charmé*,
Et je ne vis jamais amant* plus enflammé.

BÉLISE

355 Non, non, je vous entends*, vous ignorez l'histoire,
Et l'affaire n'est pas ce que vous pouvez croire.

ARISTE

Comment, ma sœur ?

---

1. Nous nous produisions.
2. « Petits tours d'amour, de galanterie et de jeunesse » (Richelet).
3. Cette réplique est un aparté : Ariste se félicite de ce que promettent en faveur de Clitandre ces propos de Chrysale.

BÉLISE

Clitandre abuse vos esprits,
Et c'est d'un autre objet que son cœur est épris.

ARISTE

Vous raillez. Ce n'est pas Henriette qu'il aime ?

BÉLISE

360 Non, j'en suis assurée.

ARISTE

Il me l'a dit lui-même.

BÉLISE

Eh oui.

ARISTE

Vous me voyez, ma sœur, chargé par lui
D'en faire la demande à son père aujourd'hui.

BÉLISE

Fort bien.

ARISTE

Et son amour même m'a fait instance [1]
De presser les moments d'une telle alliance.

BÉLISE

365 Encor mieux. On ne peut tromper plus galamment.
Henriette, entre nous, est un amusement [2],
Un voile ingénieux, un prétexte, mon frère,
À couvrir d'autres feux dont je sais le mystère,
Et je veux bien tous deux vous mettre hors d'erreur.

ARISTE

370 Mais puisque vous savez tant de choses, ma sœur,
Dites-nous, s'il vous plaît, cet autre objet qu'il aime ?

---

1. Demandé avec insistance.
2. Une diversion.

BÉLISE

Vous le voulez savoir ?

ARISTE

Oui. Quoi ?

BÉLISE

Moi.

ARISTE

Vous ?

BÉLISE

Moi-même.

ARISTE

Hay, ma sœur !

BÉLISE

Qu'est-ce donc que veut dire ce Hay,
Et qu'a de surprenant le discours que je fais ?
375 On est faite d'un air je pense à pouvoir dire
Qu'on n'a pas pour un [1] cœur soumis à son empire ;
Et Dorante, Damis, Cléonte et Lycidas,
Peuvent bien faire voir qu'on a quelques appas.

ARISTE

Ces gens vous aiment ?

BÉLISE

Oui, de toute leur puissance.

ARISTE

380 Ils vous l'ont dit ?

BÉLISE

Aucun n'a pris cette licence ;
Ils m'ont su révérer si fort jusqu'à ce jour,
Qu'ils ne m'ont jamais dit un mot de leur amour :

_____
1. Un seul.

Mais pour m'offrir leur cœur, et vouer leur service [1],
Les muets truchements* ont tous fait leur office.

ARISTE

385 On ne voit presque point céans* venir Damis.

BÉLISE

C'est pour me faire voir un respect plus soumis.

ARISTE

De mots piquants partout Dorante vous outrage [2].

BÉLISE

Ce sont emportements d'une jalouse rage.

ARISTE

Cléonte et Lycidas ont pris femme tous deux.

BÉLISE

390 C'est par un désespoir où j'ai réduit leurs feux.

ARISTE

Ma foi, ma chère sœur, vision* toute claire.

CHRYSALE

De ces chimères-là vous devez vous défaire.

BÉLISE

Ah chimères ! Ce sont des chimères, dit-on !
Chimères, moi ! Vraiment chimères est fort bon !
395 Je me réjouis fort de chimères, mes frères,
Et je ne savais pas que j'eusse des chimères.

---

1. S'engager entièrement à me servir.
2. Vous injurie.

Scène 4

CHRYSALE, ARISTE.

CHRYSALE

Notre sœur est folle oui.

ARISTE

Cela croît tous les jours.
Mais, encore une fois, reprenons le discours.
Clitandre vous demande Henriette pour femme,
400 Voyez quelle réponse on doit faire à sa flamme ?

CHRYSALE

Faut-il le demander ? J'y consens de bon cœur,
Et tiens son alliance à [1] singulier honneur.

ARISTE

Vous savez que de bien il n'a pas l'abondance,
Que…

CHRYSALE

C'est un intérêt [2] qui n'est pas d'importance ;
405 Il est riche en vertu, cela vaut des trésors,
Et puis son père et moi n'étions qu'un en deux corps.

ARISTE

Parlons à votre femme, et voyons à la rendre
Favorable…

CHRYSALE

Il suffit, je l'accepte pour gendre.

ARISTE

Oui ; mais pour appuyer votre consentement,
410 Mon frère, il n'est pas mal d'avoir son agrément ;

1. Pour un.
2. Une préoccupation.

Allons…

CHRYSALE
Vous moquez-vous ? Il n'est pas nécessaire,
Je réponds de ma femme, et prends sur moi l'affaire.

ARISTE
Mais…

CHRYSALE
Laissez faire, dis-je, et n'appréhendez pas.
Je la vais disposer aux choses de ce pas.

ARISTE
415 Soit. Je vais là-dessus sonder votre Henriette,
Et reviendrai savoir…

CHRYSALE
C'est une affaire faite,
Et je vais à ma femme en parler sans délai.

Scène 5

MARTINE, CHRYSALE.

MARTINE
Me voilà bien chanceuse ! Hélas l'an [1] dit bien vrai,
Qui veut noyer son chien, l'accuse de la rage,
420 Et service d'autrui n'est pas un héritage [2].

---

1. Pour « l'on ». Comme plus bas « biaux » (v. 478), « étugué »
(v. 485) ou « cheux » (v. 486), cette prononciation évoque, pour le
public parisien de 1672, le patois de l'Île-de-France, tel que celui-ci
est caricaturé dans la littérature comique depuis les années 1650 (voir
Présentation, p. 18-19). Le discours de Martine, pris dans son ensemble,
n'a toutefois aucune cohérence référentielle.

2. L'expression par proverbes a une connotation populaire. Ce vers
est une variante du proverbe « Service de grands n'est pas un héritage »
(« pour dire qu'on en est souvent mal recompensé, qu'il ne faut pas
faire fonds là-dessus », Furetière).

CHRYSALE

Qu'est-ce donc ? Qu'avez-vous, Martine ?

MARTINE

Ce que j'ai ?

CHRYSALE

Oui ?

MARTINE

J'ai que l'an me donne aujourd'hui mon congé,
Monsieur.

CHRYSALE

Votre congé !

MARTINE

Oui, Madame me chasse.

CHRYSALE

Je n'entends* pas cela. Comment ?

MARTINE

On me menace,
425 Si je ne sors d'ici, de me bailler [1] cent coups.

CHRYSALE

Non, vous demeurerez, je suis content* de vous ;
Ma femme bien souvent a la tête un peu chaude,
Et je ne veux pas moi...

Scène 6

PHILAMINTE, BÉLISE, CHRYSALE, MARTINE.

PHILAMINTE

Quoi, je vous vois, maraude ?

_____

1. Donner (familier). Martine a mal compris la question de Chrysale, qu'elle fait porter sur la manière et non sur la cause de son renvoi.

Vite, sortez, friponne ; allons, quittez ces lieux,
430 Et ne vous présentez jamais devant mes yeux.

CHRYSALE

Tout doux.

PHILAMINTE

Non, c'en est fait.

CHRYSALE

Eh.

PHILAMINTE

Je veux qu'elle sorte.

CHRYSALE

Mais qu'a-t-elle commis, pour vouloir de la sorte…

PHILAMINTE

Quoi, vous la soutenez ?

CHRYSALE

En aucune façon.

PHILAMINTE

Prenez-vous son parti contre moi ?

CHRYSALE

Mon Dieu non ;
435 Je ne fais seulement que demander son crime.

PHILAMINTE

Suis-je pour [1] la chasser sans cause légitime ?

CHRYSALE

Je ne dis pas cela, mais il faut de nos gens…

PHILAMINTE

Non, elle sortira, vous dis-je, de céans*.

---

1. Quelqu'un à.

CHRYSALE

Hé bien oui. Vous dit-on quelque chose là-contre ?

PHILAMINTE

440 Je ne veux point d'obstacle aux désirs que je montre.

CHRYSALE

D'accord.

PHILAMINTE

Et vous devez en raisonnable époux,
Être pour moi contre elle, et prendre mon courroux.

CHRYSALE

Aussi fais-je. Oui, ma femme avec raison vous chasse,
Coquine, et votre crime est indigne de grâce.

MARTINE

445 Qu'est-ce donc que j'ai fait ?

CHRYSALE

Ma foi je ne sais pas.

PHILAMINTE

Elle est d'humeur* encore à n'en faire aucun cas.

CHRYSALE

A-t-elle, pour donner matière à votre haine,
Cassé quelque miroir, ou quelque porcelaine ?

PHILAMINTE

Voudrais-je la chasser, et vous figurez-vous
450 Que pour si peu de chose on se mette en courroux ?

CHRYSALE

Qu'est-ce à dire ? L'affaire est donc considérable ?

PHILAMINTE

Sans doute*. Me voit-on femme déraisonnable ?

CHRYSALE

Est-ce qu'elle a laissé, d'un esprit négligent,
Dérober quelque aiguière [1], ou quelque plat d'argent ?

---

1. Pot à eau, vase.

PHILAMINTE

455 Cela ne serait rien.

CHRYSALE

Oh, oh ! Peste, la belle !
Quoi, l'avez-vous surprise à n'être pas fidèle [1] ?

PHILAMINTE

C'est pis que tout cela.

CHRYSALE

Pis que tout cela ?

PHILAMINTE

Pis.

CHRYSALE

Comment diantre, friponne ! Euh ? A-t-elle commis...

PHILAMINTE

Elle a, d'une insolence à nulle autre pareille,
460 Après trente leçons, insulté [2] mon oreille,
Par l'impropriété d'un mot sauvage* et bas,
Qu'en termes décisifs condamne Vaugelas [3].

CHRYSALE

Est-ce là...

PHILAMINTE

Quoi, toujours, malgré nos remontrances,
Heurter le fondement de toutes les sciences ;
465 La grammaire qui sait régenter jusqu'aux rois,
Et les fait la main haute [4] obéir à ses lois [5] ?

---

1. Ici, honnête.
2. Attaqué, assailli.
3. Le grammairien Vaugelas avait publié, en 1647, des *Remarques sur la langue française*, rééditées en 1665. L'ouvrage exposait le « bon usage » de la langue française.
4. Avec autorité.
5. Dans la Préface à ses *Remarques* (voir la note du v. 462), Vaugelas écrit qu'« il n'est permis à qui que ce soit de faire de nouveaux mots, non pas même au souverain ».

CHRYSALE

Du plus grand des forfaits je la croyais coupable.

PHILAMINTE

Quoi, vous ne trouvez pas ce crime impardonnable ?

CHRYSALE

Si fait.

PHILAMINTE

Je voudrais bien que vous l'excusassiez.

CHRYSALE

470 Je n'ai garde [1].

BÉLISE

Il est vrai que ce sont des pitiés [2],
Toute construction est par elle détruite,
Et des lois du langage on l'a cent fois instruite.

MARTINE

Tout ce que vous prêchez est je crois bel et bon ;
Mais je ne saurais, moi, parler votre jargon.

PHILAMINTE

475 L'impudente ! Appeler un jargon le langage
Fondé sur la raison et sur le bel usage [3] !

MARTINE

Quand on se fait entendre*, on parle toujours bien,
Et tous vos biaux dictons [4] ne servent pas de rien.

---

1. Formule de démenti. Équivalente à « loin de là ».
2. L'expression courante, au XVIIᵉ siècle déjà, est au singulier.
3. « Bel usage » ou « bon usage » : voir la note du v. 462. Dans la Préface à ses *Remarques*, Vaugelas revendique une norme langagière fondée sur l'usage, qu'il oppose de façon véhémente aux règles fondées sur la raison. Le discours de Philaminte, comme au v. 1130 (et conformément au principe énoncé au v. 876), fait donc appel sans discrimination à une terminologie empruntée à des doctrines parfaitement contradictoires.
4. Discours sentencieux. Terme vieilli.

PHILAMINTE

Hé bien, ne voilà pas encore de son style,
480 *Ne servent pas de rien* !

BÉLISE

Ô cervelle indocile [1] !
Faut-il qu'avec les soins qu'on prend incessamment [2],
On ne te puisse apprendre à parler congrûment [3] ?
De *pas*, mis avec *rien*, tu fais la récidive,
Et c'est, comme on t'a dit, trop d'une négative [4].

MARTINE

485 Mon Dieu, je n'avons pas étugué comme vous,
Et je parlons tout droit comme on parle cheux [5] nous.

PHILAMINTE

Ah peut-on y tenir !

BÉLISE

Quel solécisme [6] horrible !

PHILAMINTE

En voilà pour tuer une oreille sensible.

BÉLISE

Ton esprit, je l'avoue, est bien matériel.

---

1. Sens conforme à l'étymologie : inapte à recevoir un enseignement.
2. Sans cesse.
3. Sans faute contre la grammaire ni contre la syntaxe. Ce terme n'est pas employé chez Vaugelas. C'est un terme de la grammaire scolaire.
4. On trouve la même plaisanterie dans la comédie érudite de Luigi Pasqualigo, *Il Fedele* (1576), traduite par Larivey dans *Le Fidèle* (1611) : « on ne dit pas *ne m'importent rien*, pour ce que *duæ negationes affirmant*, et valent autant comme si tu disais *il m'importe un peu*, ce que tu n'entends pas dire » (II, 14).
5. Prononciation condamnée par Vaugelas dans ses *Remarques* [Remarque 436].
6. Erreur de déclinaison, de conjugaison ou de syntaxe. La notion est théorisée notamment par Vaugelas [Remarque 572].

490 *Je*, n'est qu'un singulier ; *avons*, est pluriel [1].
Veux-tu toute ta vie offenser la grammaire ?

MARTINE

Qui parle d'offenser grand'mère [2], ni grand-père ?

PHILAMINTE

Ô ciel !

BÉLISE

Grammaire est prise à contre-sens par toi,
Et je t'ai dit déjà d'où vient ce mot.

MARTINE

Ma foi,
495 Qu'il vienne de Chaillot, d'Auteuil, ou de Pontoise [3],
Cela ne me fait rien.

BÉLISE

Quelle âme villageoise !
La grammaire, du verbe et du nominatif,
Comme de l'adjectif avec le substantif,
Nous enseigne les lois.

MARTINE

J'ai, Madame, à vous dire
500 Que je ne connais point ces gens-là.

PHILAMINTE

Quel martyre !

BÉLISE

Ce sont les noms des mots, et l'on doit regarder

---

1. Voir ici encore *Le Fidèle*, II, 14 : « BABILLE : Le seigneur Fidèle sont-il en la maison ?/ M. JOSSE : […] Tu as fait une faute en grammaire, […] pour ce que « Fidèle » est *numeri singularis* et « sont » *numeri pluralis*, et, doit-on dire, *est-il en la maison* et non *sont-il en la maison.* »

2. D'après d'autres sources du XVIIe siècle, le terme « grammaire » semble s'être prononcé « granmaire ». L'erreur de Martine provient donc d'une ignorance de la notion, et non d'un malentendu auditif.

3. Villages attenant à Paris (devenus depuis des quartiers).

En quoi c'est qu'il [1] les faut faire ensemble accorder.

MARTINE

Qu'ils s'accordent entr'eux, ou se gourment [2], qu'importe ?

PHILAMINTE, *à sa sœur* [3].

Eh, mon Dieu, finissez un discours de la sorte.

À son mari.

505 Vous ne voulez pas, vous, me la faire sortir ?

CHRYSALE

Si fait. À son caprice [4] il me faut consentir.
Va, ne l'irrite point ; retire-toi, Martine.

PHILAMINTE

Comment ? Vous avez peur d'offenser la coquine ?
Vous lui parlez d'un ton tout à fait obligeant ?

CHRYSALE

510 Moi ? Point. Allons, sortez.

Bas.

Va-t'en, ma pauvre enfant.

Scène 7

PHILAMINTE, CHRYSALE, BÉLISE.

CHRYSALE

Vous êtes satisfaite, et la voilà partie.

---

1. Syntaxe ancienne, mais correcte.
2. Se battent à coups de poing. Le terme « n'est guère en usage que parmi les écoliers, les laquais et les gens de basse condition » (Furetière).
3. Au XVIIe siècle, le terme désigne aussi la belle sœur.
4. Son dérèglement d'esprit, sa folie. La seconde partie de cette réplique est dite en aparté, ou adressée, bas, à Martine.

Mais je n'approuve point une telle sortie ;
C'est une fille propre [1] aux choses qu'elle fait,
Et vous me la chassez pour un maigre sujet.

PHILAMINTE

515 Vous voulez que toujours je l'aie à mon service,
Pour mettre incessamment mon oreille au supplice ?
Pour rompre toute loi d'usage et de raison,
Par un barbare [2] amas de vices d'oraison [3],
De mots estropiés, cousus [4] par intervalles,
520 De proverbes traînés dans les ruisseaux des Halles [5] ?

BÉLISE

Il est vrai que l'on sue à souffrir ses discours.
Elle y met Vaugelas en pièces tous les jours ;
Et les moindres défauts de ce grossier génie,
Sont ou le pléonasme, ou la cacophonie.

CHRYSALE

525 Qu'importe qu'elle manque aux lois de Vaugelas,
Pourvu qu'à la cuisine elle ne manque pas ?
J'aime bien mieux, pour moi, qu'en épluchant ses herbes,
Elle accommode [6] mal les noms avec les verbes,
Et redise cent fois un bas ou méchant* mot,
530 Que de brûler ma viande, ou saler trop mon pot [7].

---

1. Convenable, bien adaptée.
2. Emploi de l'adjectif dans son sens ancien (« qui n'est point de notre langage », Nicot). Les propos de Martine tiendraient du « barbarisme » généralisé.
3. Discours (latinisme).
4. Le verbe « coudre », appliqué à la composition d'un discours, relève d'un registre soutenu et ancien.
5. Ruisseaux : ici, rigoles. Les Halles sont un marché de denrées alimentaires. « On appelle le langage des *halles*, les termes dont se servent les harengères et le bas peuple, et surtout celui qui est sujet à dire des injures grossières » (Furetière). Voir aussi v. 236.
6. Le verbe appartient à la fois au registre de la grammaire et à celui de la cuisine.
7. Marmite ; par extension, contenu de la marmite, donc plat.

Je vis de bonne soupe, et non de beau langage.
Vaugelas n'apprend point à bien faire un potage ;
Et Malherbe [1] et Balzac [2], si savants en beaux mots,
En cuisine peut-être auraient été des sots [3].

PHILAMINTE

535 Que ce discours grossier terriblement assomme !
Et quelle indignité pour ce qui s'appelle homme,
D'être baissé sans cesse aux soins matériels,
Au lieu de se hausser vers les spirituels !
Le corps, cette guenille, est-il d'une importance,
540 D'un prix à mériter seulement qu'on y pense [4],
Et ne devons-nous pas laisser cela bien loin ?

CHRYSALE

Oui, mon corps est moi-même, et j'en veux prendre soin.
Guenille si l'on veut, ma guenille m'est chère.

BÉLISE

Le corps avec l'esprit, fait figure [5], mon frère :
545 Mais si vous en croyez tout le monde savant,
L'esprit doit sur le corps prendre le pas devant ;
Et notre plus grand soin, notre première instance [6],
Doit être à le nourrir du suc de la science.

---

1. Malherbe, réformateur de la langue française au début du XVIIe siècle, est considéré dès les années 1660 comme le précurseur du « pur » style français.
2. Guez de Balzac, écrivain actif dans le deuxième quart du XVIIe siècle, dont l'œuvre symbolise l'éloquence galante.
3. Ignorants.
4. Dans son *Discours de la méthode* (1637), Descartes écrit : « je connus [...] que j'étais une substance dont toute l'essence ou la nature n'est que de penser et qui, pour être, n'a besoin d'aucun lieu ni ne dépend d'aucune chose matérielle, en sorte que ce moi, c'est-à-dire l'âme par laquelle je suis ce que je suis, est entièrement distincte du corps [...] et qu'encore qu'il ne fût point, elle ne laisserait pas d'être tout ce qu'elle est » (IVe partie, § 2).
5. Tient bien son rang (expression vieillie).
6. Tâche pressante.

CHRYSALE

Ma foi si vous songez à nourrir votre esprit,
550 C'est de viande bien creuse [1], à ce que chacun dit,
Et vous n'avez nul soin, nulle sollicitude,
Pour...

PHILAMINTE

Ah *sollicitude* à mon oreille est rude,
Il pue étrangement* son ancienneté.

BÉLISE

Il est vrai que le mot est bien collet-monté [2].

CHRYSALE

555 Voulez-vous que je dise ? Il faut qu'enfin j'éclate*,
Que je lève le masque, et décharge ma rate [3].
De folles on vous traite, et j'ai fort sur le cœur...

PHILAMINTE

Comment donc ?

CHRYSALE

C'est à vous que je parle, ma sœur.
Le moindre solécisme en parlant vous irrite :
560 Mais vous en faites, vous, d'étranges* en conduite.
Vos livres éternels ne me contentent* pas,
Et hors un gros Plutarque à mettre mes rabats [4],

---

1. Aliments légers, qui ne rassasient pas.
2. « Qui a l'air et les manières du vieux temps, ou qui a quelque chose de guindé et de contraint » (Académie).
3. Que je me soulage de ce que j'ai sur le cœur. Selon la conception physiologique des humeurs, la rate recueille les humeurs noires qui circulent dans le corps ; elle doit se décharger pour les évacuer.
4. L'ouvrage épais peut se révéler utile pour aplatir les rabats (cols en toile). La plaisanterie figurait déjà dans *Le Roman bourgeois* (1666) de Furetière (livre second). Plutarque, philosophe romain d'origine grecque, se trouve être l'auteur de traités de morale antistoïciens et antiépicuriens, ce qui rend l'exception qu'accorde Chrysale d'autant plus déplacée pour ses interlocutrices.

Vous devriez brûler tout ce meuble [1] inutile,
Et laisser la science aux docteurs de la ville ;
565 M'ôter, pour faire bien, du grenier de céans*,
Cette longue lunette [2] à faire peur aux gens,
Et cent brimborions [3] dont l'aspect importune :
Ne point aller chercher ce qu'on fait dans la Lune,
Et vous mêler un peu de ce qu'on fait chez vous,
570 Où nous voyons aller tout sens dessus dessous.
Il n'est pas bien honnête [4], et pour beaucoup de causes,
Qu'une femme étudie, et sache tant de choses.
Former aux bonnes mœurs l'esprit de ses enfants,
Faire aller son ménage [5], avoir l'œil sur ses gens,
575 Et régler la dépense avec économie,
Doit être son étude et sa philosophie.
Nos pères sur ce point étaient gens bien sensés,
Qui disaient qu'une femme en sait toujours assez,
Quand la capacité de son esprit se hausse
580 À connaître un pourpoint d'avec un haut-de-chausse [6].
Les leurs ne lisaient point, mais elles vivaient bien ;

---

1. Ensemble d'objets. Ce type d'idées figure dans des traités de morale religieuse, en particulier dans la première moitié du siècle : « Les livres ne sont pas les vrais meubles des femmes, et entre les livres le livre des livres, qui est l'écriture sainte, n'est pas fusée propre pour leur quenouille » (P. François Garasse, *La Doctrine curieuse des beaux esprits de ce temps*, 1623, V, 6). Le public de Molière s'en amuse comme de conceptions rétrogrades. Voir aussi Présentation, p. 13-14.

2. Lunette astronomique. Le sujet est d'actualité dans les sciences. Le physicien anglais Isaac Newton avait présenté en 1671 un téléscope innovant à la Société royale d'astronomie.

3. Babioles.

4. Conforme au savoir-vivre.

5. Ici, « gouvernement de famille » (Richelet).

6. Pourpoint : sorte de chemise large. Haut-de-chausse : pantalon court. L'affirmation, déjà attribuée par Montaigne à un ancien duc de Bretagne (*Essais*, « Du pédantisme », II, 25), avait été reprise par le philosophe La Mothe Le Vayer en 1663 : « tout le monde n'est pas de l'humeur de ceux qui trouvent une femme assez savante quand elle sait bien discerner le haut-de-chausse du pourpoint de son mari » (*La Promenade*, IVe dialogue).

Leurs ménages étaient tout leur docte entretien,
Et leurs livres un dé, du fil et des aiguilles,
Dont elles travaillaient au trousseau de leurs filles.
585 Les femmes d'à présent sont bien loin de ces mœurs,
Elles veulent écrire, et devenir auteurs.
Nulle science n'est pour elles trop profonde,
Et céans* beaucoup plus qu'en aucun lieu du monde.
Les secrets [1] les plus hauts s'y laissent concevoir,
590 Et l'on sait tout chez moi, hors ce qu'il faut savoir.
On y sait comme vont Lune, Étoile Polaire,
Vénus, Saturne et Mars, dont je n'ai point affaire ;
Et, dans ce vain savoir, qu'on va chercher si loin [2],
On ne sait comme va mon pot [3] dont j'ai besoin.
595 Mes gens à la science aspirent pour vous plaire,
Et tous ne font rien moins que ce qu'ils ont à faire ;
Raisonner est l'emploi de toute ma maison,
Et le raisonnement en bannit la raison ;
L'un me brûle mon rôt [4] en lisant quelque histoire,
600 L'autre rêve à des vers quand je demande à boire ;
Enfin je vois par eux votre exemple suivi,
Et j'ai des serviteurs, et ne suis point servi.
Une pauvre servante au moins m'était restée,
Qui de ce mauvais air n'était point infectée,
605 Et voilà qu'on la chasse avec un grand fracas,
À cause qu'elle manque à parler Vaugelas.
Je vous le dis, ma sœur, tout ce train-là me blesse,
(Car c'est, comme j'ai dit, à vous que je m'adresse,)

---

1. Inventions.
2. L'idée que les recherches toujours plus poussées dans le domaine de l'astronomie éloignent les hommes des affaires réellement importantes est partagée par de nombreux mondains au XVIIᵉ siècle. Voir Présentation, p. 22 *sq.* et la note du v. 890. Chrysale en livre une version dégradée, en faisant de sa cuisine l'objet principal de ses préoccupations (voir vers suivant).
3. Voir la note du v. 530.
4. Rôti.

Je n'aime point céans* tous vos gens à latin,
610 Et principalement ce Monsieur Trissotin.
C'est lui qui dans des vers vous a tympanisées [1],
Tous les propos qu'il tient sont des billevesées [2],
On cherche ce qu'il dit après qu'il a parlé,
Et je lui crois, pour moi, le timbre un peu fêlé.

PHILAMINTE

615 Quelle bassesse, ô ciel, et d'âme, et de langage !

BÉLISE

Est-il de petits corps un plus lourd assemblage !
Un esprit composé d'atomes plus bourgeois [3] !
Et de ce même sang se peut-il que je sois !
Je me veux mal de mort d'être de votre race,
620 Et de confusion j'abandonne la place.

Scène 8

PHILAMINTE, CHRYSALE.

PHILAMINTE

Avez-vous à lâcher encore quelque trait ?

CHRYSALE

Moi ? Non. Ne parlons plus de querelle, c'est fait ;

---

1. Diffamées publiquement. Il faut sans doute comprendre que le simple fait d'apparaître dans les vers de Trissotin discrédite publiquement Bélise, Philaminte et Armande.
2. « Vieux mot qui signifiait autrefois une *balle soufflée, pleine de vent*. Se dit figurément des paroles ou des choses vaines, qui n'ont aucune apparence ni solidité » (Furetière).
3. Les notions de « petits corps » (parties les plus petites des corps) ou « atomes » surgissent sans cesse dans les débats qui opposent gassendistes et cartésiens. Les premiers, conformément aux théories d'Épicure, conçoivent le monde (y compris l'esprit humain) comme un assemblage d'atomes ; les seconds considèrent que le corps est fait d'atomes mais que l'esprit est de nature immatérielle. Voir Présentation, p. 19 *sq*.

Discourons d'autre affaire. À votre fille aînée
On voit quelque dégoût pour les nœuds d'hyménée ;
625 C'est une philosophe enfin, je n'en dis rien,
Elle est bien gouvernée, et vous faites fort bien.
Mais de toute autre humeur* se trouve sa cadette,
Et je crois qu'il est bon de pourvoir [1] Henriette,
De choisir un mari...

PHILAMINTE

C'est à quoi j'ai songé,
630 Et je veux vous ouvrir l'intention que j'ai.
Ce Monsieur Trissotin dont on nous fait un crime,
Et qui n'a pas l'honneur d'être dans votre estime,
Est celui que je prends pour l'époux qu'il lui faut,
Et je sais mieux que vous juger de ce qu'il vaut ;
635 La contestation est ici superflue,
Et de tout point chez moi l'affaire est résolue.
Au moins ne dites mot du choix de cet époux,
Je veux à votre fille en parler avant vous.
J'ai des raisons à faire approuver ma conduite,
640 Et je connaîtrai bien si vous l'aurez instruite.

Scène 9

ARISTE, CHRYSALE.

ARISTE

Hé bien ? La femme sort, mon frère, et je vois bien
Que vous venez d'avoir ensemble un entretien.

CHRYSALE

Oui.

---

1. Trouver un parti à.

ARISTE

Quel est le succès[1] ? Aurons-nous Henriette ?
A-t-elle consenti ? L'affaire est-elle faite ?

CHRYSALE

645 Pas tout à fait encor.

ARISTE
Refuse-t-elle ?

CHRYSALE
Non.

ARISTE
Est-ce qu'elle balance* ?

CHRYSALE
En aucune façon.

ARISTE
Quoi donc ?

CHRYSALE
C'est que pour gendre elle m'offre un autre homme.

ARISTE
Un autre homme pour gendre !

CHRYSALE
Un autre.

ARISTE
Qui se nomme ?

CHRYSALE
Monsieur Trissotin.

ARISTE
Quoi ? Ce Monsieur Trissotin…

---

1. L'issue.

CHRYSALE

650 Oui, qui parle toujours de vers et de latin.

ARISTE

Vous l'avez accepté ?

CHRYSALE

Moi, point, à Dieu ne plaise.

ARISTE

Qu'avez-vous répondu ?

CHRYSALE

Rien ; et je suis bien aise
De n'avoir point parlé, pour ne m'engager pas !

ARISTE

La raison est fort belle, et c'est faire un grand pas.
655 Avez-vous su du moins lui proposer Clitandre ?

CHRYSALE

Non : car comme j'ai vu qu'on parlait d'autre gendre,
J'ai cru qu'il était mieux de ne m'avancer point.

ARISTE

Certes votre prudence [1] est rare au dernier point !
N'avez-vous point de honte avec votre mollesse ?
660 Et se peut-il qu'un homme ait assez de faiblesse
Pour laisser à sa femme un pouvoir absolu,
Et n'oser attaquer ce qu'elle a résolu [2] ?

CHRYSALE

Mon Dieu, vous en parlez, mon frère, bien à l'aise,

---

1. Intelligence tactique.
2. Les propos d'Ariste, ici et jusqu'à la fin de la scène, visent à convaincre le bourgeois Chrysale, affublé d'une pathologie de lâcheté (voir la note du v. 206), de se résoudre à agir. L'idéologie misogyne relève donc d'une argumentation *ad hoc* adressée à un interlocuteur dont les conceptions des rapports entre hommes et femmes sont parfaitement rétrogrades : c'est ce qui fonde le comique de ce dialogue. Voir Présentation, p. 10 *sq*.

Et vous ne savez pas comme le bruit me pèse.
665 J'aime fort le repos, la paix, et la douceur,
Et ma femme est terrible avecque son humeur*.
Du nom de philosophe elle fait grand mystère [1],
Mais elle n'en est pas pour cela moins colère ;
Et sa morale faite à mépriser le bien,
670 Sur l'aigreur de sa bile opère comme rien [2].
Pour peu que l'on s'oppose à ce que veut sa tête,
On en a pour huit jours d'effroyable tempête.
Elle me fait trembler dès qu'elle prend son ton.
Je ne sais où me mettre, et c'est un vrai dragon ;
675 Et cependant, avec toute sa diablerie,
Il faut que je l'appelle, et « mon cœur », et « ma mie ».

ARISTE

Allez, c'est se moquer. Votre femme, entre nous,
Est par vos lâchetés souveraine sur vous.
Son pouvoir n'est fondé que sur votre faiblesse.
680 C'est de vous qu'elle prend le titre de maîtresse.
Vous-même à ses hauteurs [3] vous vous abandonnez,
Et vous faites mener en bête par le nez.
Quoi, vous ne pouvez pas, voyant comme on vous nomme,
Vous résoudre une fois à vouloir être un homme ?
685 À faire condescendre une femme à vos vœux,
Et prendre assez de cœur [4] pour dire un *je le veux* ?
Vous laisserez sans honte immoler votre fille
Aux folles visions* qui tiennent la famille,
Et de tout votre bien revêtir un nigaud,
690 Pour six mots de latin qu'il leur fait sonner haut ?
Un pédant qu'à tous coups votre femme apostrophe [5]

---

1. Accorde une grande importance.
2. Comprendre : et sa morale, qui consiste à mépriser les biens de ce monde, n'a [pourtant] aucun effet sur l'aigreur de sa bile (son tempérament colérique).
3. Ici, son traitement injurieux.
4. Voir la note du v. 339.
5. Adresse solennellement la parole.

Du nom de bel esprit [1], et de grand philosophe,
D'homme qu'en vers galants jamais on n'égala,
Et qui n'est, comme on sait, rien moins que tout cela ?
695 Allez, encore un coup, c'est une moquerie,
Et votre lâcheté mérite qu'on en rie.

CHRYSALE

Oui, vous avez raison, et je vois que j'ai tort.
Allons, il faut enfin montrer un cœur plus fort,
Mon frère.

ARISTE

C'est bien dit.

CHRYSALE

C'est une chose infâme,
700 Que d'être si soumis au pouvoir d'une femme.

ARISTE

Fort bien.

CHRYSALE

De ma douceur elle a trop profité.

ARISTE

Il est vrai.

CHRYSALE

Trop joui de ma facilité.

ARISTE

Sans doute*.

CHRYSALE

Et je lui veux faire aujourd'hui connaître
Que ma fille est ma fille, et que j'en suis le maître,
705 Pour lui prendre un mari qui soit selon mes vœux.

ARISTE

Vous voilà raisonnable, et comme je vous veux.

---

1. Voir la note 4, p. 42.

CHRYSALE

Vous êtes pour Clitandre, et savez sa demeure ;
Faites-le-moi venir, mon frère, tout à l'heure [1].

ARISTE

J'y cours tout de ce pas.

CHRYSALE

C'est souffrir trop longtemps,
710 Et je m'en vais être homme à la barbe des gens.

Fin du second acte.

---

1. Tout de suite.

ACTE III

Scène première

PHILAMINTE, ARMANDE, BÉLISE,
TRISSOTIN, L'ÉPINE.

PHILAMINTE

Ah mettons-nous ici pour écouter à l'aise
Ces vers que mot à mot il est besoin qu'on pèse.

ARMANDE

Je brûle de les voir.

BÉLISE

Et l'on s'en meurt chez nous.

PHILAMINTE

Ce sont charmes* pour moi que ce qui part de vous.

ARMANDE

715 Ce m'est une douceur à nulle autre pareille.

BÉLISE

Ce sont repas friands qu'on donne à mon oreille.

PHILAMINTE

Ne faites point languir de si pressants désirs.

ARMANDE

Dépêchez.

BÉLISE
Faites tôt, et hâtez nos plaisirs.

PHILAMINTE
À notre impatience offrez votre épigramme.

TRISSOTIN
720 Hélas, c'est un enfant tout nouveau-né, Madame.
Son sort assurément a lieu de vous toucher,
Et c'est dans votre cour, que j'en viens d'accoucher [1].

PHILAMINTE
Pour me le rendre cher, il suffit de son père.

TRISSOTIN
Votre approbation lui peut servir de mère.

BÉLISE
725 Qu'il a d'esprit !

Scène 2

HENRIETTE, PHILAMINTE, ARMANDE,
BÉLISE, TRISSOTIN, L'ÉPINE.

PHILAMINTE
Holà, pourquoi donc fuyez-vous ?

HENRIETTE
C'est de peur de troubler un entretien si doux.

PHILAMINTE
Approchez, et venez de toutes vos oreilles
Prendre part au plaisir d'entendre des merveilles.

---

1. Dans la cour de votre maison. L'esthétique galante valorise la création rapide et improvisée, sur le mode de l'impromptu. L'image du poème enfant de son créateur apparaissait dans les *Œuvres galantes* de l'abbé Cotin en 1663. L'échange entre Trissotin et les femmes savantes file la métaphore de façon très appuyée dans les vers suivants.

HENRIETTE

Je sais peu les beautés de tout ce qu'on écrit,
730   Et ce n'est pas mon fait que les choses d'esprit.

PHILAMINTE

Il n'importe ; aussi bien ai-je à vous dire ensuite
Un secret dont il faut que vous soyez instruite.

TRISSOTIN

Les sciences n'ont rien qui vous puisse enflammer,
Et vous ne vous piquez[1] que de savoir charmer*.

HENRIETTE

735   Aussi peu l'un que l'autre, et je n'ai nulle envie...

BÉLISE

Ah songeons à l'enfant nouveau-né, je vous prie.

PHILAMINTE

Allons, petit garçon, vite, de quoi s'asseoir.

Le laquais tombe avec la chaise.

Voyez l'impertinent[2] ! Est-ce que l'on doit choir,
Après avoir appris l'équilibre des choses ?

BÉLISE

740   De ta chute, ignorant, ne vois-tu pas les causes,
Et qu'elle vient d'avoir du point fixe écarté,
Ce que nous appelons centre de gravité[3] ?

L'ÉPINE

Je m'en suis aperçu, Madame, étant par terre.

PHILAMINTE

Le lourdaud !

---

1. Vous ne vous faites gloire.
2. Ici, qui agit de façon déplacée, inconvenante.
3. La statique (science de l'équilibre des corps naturels) et la gravité terrestre sont théorisées par la nouvelle physique cartésienne et font l'objet d'études expérimentales.

TRISSOTIN
Bien lui prend de n'être pas de verre.

ARMANDE
745 Ah de l'esprit partout !

BÉLISE
Cela ne tarit pas.

PHILAMINTE
Servez-nous promptement votre aimable* repas [1].

TRISSOTIN
Pour cette grande faim qu'à mes yeux on expose,
Un plat seul de huit vers me semble peu de chose,
Et je pense qu'ici je ne ferai pas mal,
750 De joindre à l'épigramme, ou bien au madrigal,
Le ragoût [2] d'un sonnet, qui chez une princesse
A passé pour avoir quelque délicatesse.
Il est de sel attique [3] assaisonné partout,
Et vous le trouverez, je crois, d'assez bon goût.

ARMANDE
755 Ah je n'en doute point.

PHILAMINTE
Donnons vite audience [4].

BÉLISE, *à chaque fois qu'il veut lire*
elle l'interrompt.
Je sens d'aise mon cœur tressaillir par avance.

---

1. Cotin est l'auteur d'un poème intitulé « Festin poétique », paru dans ses *Œuvres* de 1665. Le dialogue qui suit ouvre une nouvelle métaphore lourdement filée.
2. Au sens propre, « assaisonnement que le cuisinier fait, qui pique, qui chatouille et réveille l'appétit » ; au sens figuré, « divertissement agréable, et qui chatouille les sens, l'esprit, ou quelque passion » (Richelet).
3. Le sel attique désigne, en rhétorique, « une certaine éloquence ou grâce qui se trouvait dans le langage des auteurs athéniens » (Furetière).
4. Prêtons l'oreille.

J'aime la poésie avec entêtement [1],
Et surtout quand les vers sont tournés galamment.

PHILAMINTE

Si nous parlons toujours, il ne pourra rien dire.

TRISSOTIN

760 SO...

BÉLISE

Silence, ma nièce.

TRISSOTIN

SONNET,

À LA PRINCESSE URANIE,
Sur sa fièvre [2].

Votre prudence est endormie [3],
De traiter magnifiquement,
Et de loger superbement
Votre plus cruelle ennemie,

BÉLISE

765 Ah le joli début !

_____

1. Attachement très fort.
2. Les vers de ce sonnet, dont la lecture par Trissotin est entrecoupée des commentaires de son auditoire, sont identiques (à une inversion près : « nuit et jour » au lieu de « jour et nuit », v. 806) à ceux du « Sonnet à Mademoiselle de Longueville, à présent Duchesse de Nemours, sur sa fièvre quarte », publié dans les *Œuvres mêlées* de Cotin en 1659, réédité dans ses *Œuvres galantes* en 1663 et à nouveau en 1665. Le titre de substitution choisi par Molière évoque une autre œuvre de Cotin, publiée en 1659, *L'Uranie ou la Métamorphose d'une nymphe en oranger.*
3. Pour la numérotation des vers de cette scène, nous suivons la tradition éditoriale qui prend en compte uniquement la première occurrence (v. 761-764, 772-775, 804-809, 827-832, 835-836) des vers du sonnet et de l'épigramme de Trissotin. Ne sont inclus ni les titres de ces poèmes, ni les vers répétés par Trissotin, Armande, Bélise et Philaminte. Les exclamations d'admiration et les commentaires, lorsqu'ils ne sont pas versifiés, ne sont pas non plus pris en compte. Les vers 760 et 771 sont formés d'un demi-alexandrin seulement.

ARMANDE
Qu'il a le tour galant !

PHILAMINTE
Lui seul des vers aisés [1] possède le talent !

ARMANDE
À *prudence endormie* il faut rendre les armes.

BÉLISE
Loger son ennemie est pour moi plein de charmes*.

PHILAMINTE
J'aime *superbement* et *magnifiquement* ;
770 Ces deux adverbes joints font admirablement [2].

BÉLISE
Prêtons l'oreille au reste.

TRISSOTIN
Votre prudence est endormie,
De traiter magnifiquement,
Et de loger superbement
Votre plus cruelle ennemie.

ARMANDE
Prudence endormie !

BÉLISE
Loger son ennemie !

PHILAMINTE
Superbement, et magnifiquement !

---

1. De style fluide, produits avec facilité. Idéal de l'écriture galante.
2. Depuis les années 1660, la critique moderne des productions littéraires s'élabore en se démarquant du registre épidictique (louange et
blâme), auquel les femmes savantes font ici lourdement appel. L'éloge
appuyé met par ailleurs en valeur le peu d'originalité des vers de
Trissotin.

TRISSOTIN

Faites-la sortir, quoi qu'on die[1],
De votre riche appartement,
Où cette ingrate insolemment
775 *Attaque votre belle vie.*

BÉLISE

Ah tout doux, laissez-moi, de grâce, respirer.

ARMANDE

Donnez-nous, s'il vous plaît, le loisir d'admirer.

PHILAMINTE

On se sent à ces vers, jusques au fond de l'âme,
Couler je-ne-sais-quoi qui fait que l'on se pâme.

ARMANDE

Faites-la sortir, quoi qu'on die,
De votre riche appartement.
780 Que *riche appartement* est là joliment dit !
Et que la métaphore est mise avec esprit !

PHILAMINTE

Faites-la sortir, quoi qu'on die.
Ah que ce *quoi qu'on die* est d'un goût admirable[2] !
C'est, à mon sentiment, un endroit impayable[3].

ARMANDE

De *quoi qu'on die* aussi mon cœur est amoureux.

BÉLISE

785 Je suis de votre avis, *quoi qu'on die* est heureux.

---

1. Quoi qu'on dise. La forme du subjonctif « die » est rare mais attestée.
2. Outre sa sonorité cacophonique et sa profonde banalité, « quoi qu'on die » contient aussi une « syllabe sale » (voir la note du v. 913), le « con » désignant le sexe féminin. La proposition entière s'apparente dès lors à une grivoiserie ridicule : « Faites-la sortir, dit le con silencieux [coi]. »
3. Qui n'a pas de prix (sans la connotation ironique actuelle).

ARMANDE

Je voudrais l'avoir fait.

BÉLISE

Il vaut toute une pièce.

PHILAMINTE

Mais en comprend-on bien comme moi la finesse ?

ARMANDE *et* BÉLISE

Oh, oh.

PHILAMINTE

Faites-la sortir, quoi qu'on die.
Que [1] de la fièvre, on prenne ici les intérêts,
N'ayez aucun égard, moquez-vous des caquets.
Faites-la sortir, quoi qu'on die.
Quoi qu'on die, quoi qu'on die.
790 Ce *quoi qu'on die* en dit beaucoup plus qu'il ne semble [2].
Je ne sais pas, pour moi, si chacun me ressemble ;
Mais j'entends* là-dessous un million de mots.

BÉLISE

Il est vrai qu'il dit plus de choses qu'il n'est gros.

PHILAMINTE

Mais quand vous avez fait ce charmant* *quoi qu'on die*,
795 Avez-vous compris, vous, toute son énergie [3] ?
Songiez-vous bien vous-même à tout ce qu'il nous dit,
Et pensiez-vous alors y mettre tant d'esprit ?

TRISSOTIN

Hay, hay.

ARMANDE

J'ai fort aussi l'*ingrate* dans la tête,

---

1. Si l'on s'avise.
2. Pour l'interprétation grivoise possible de l'ensemble des v. 790-797, voir la note du v. 782.
3. Sa force.

Cette *ingrate* de fièvre, injuste, malhonnête,
800 Qui traite mal les gens, qui la logent chez eux.

PHILAMINTE
Enfin les quatrains sont admirables tous deux.
Venons-en promptement aux tiercets [1], je vous prie.

ARMANDE
Ah, s'il vous plaît, encore une fois *quoi qu'on die.*

TRISSOTIN
Faites-la sortir, quoi qu'on die,

PHILAMINTE, ARMANDE *et* BÉLISE
Quoi qu'on die !

TRISSOTIN
De votre riche appartement,

PHILAMINTE, ARMANDE *et* BÉLISE.
Riche appartement !

TRISSOTIN
Où cette ingrate insolemment

PHILAMINTE, ARMANDE *et* BÉLISE
Cette *ingrate* de fièvre ?

TRISSOTIN
Attaque votre belle vie.

PHILAMINTE
Votre belle vie !

ARMANDE *et* BÉLISE
Ah !

TRISSOTIN
Quoi, sans respecter votre rang,
805 *Elle se prend à votre sang,*

---

1. Tercets. « Tiercet » est une forme ancienne, conforme à l'étymologie.

PHILAMINTE, ARMANDE *et* BÉLISE

Ah !

TRISSOTIN

Et nuit et jour vous fait outrage ?

Si vous la conduisez aux bains,
Sans la marchander [1] *davantage,*
Noyez-la de vos propres mains.

PHILAMINTE

810 On n'en peut plus ?

BÉLISE

On pâme.

ARMANDE

On se meurt de plaisir.

PHILAMINTE

De mille doux frissons vous vous sentez saisir.

ARMANDE

Si vous la conduisez aux bains,

BÉLISE

Sans la marchander davantage,

PHILAMINTE

Noyez-la de vos propres mains.
De vos propres mains, là, noyez-la dans les bains.

ARMANDE

Chaque pas dans vos vers rencontre un trait charmant*.

BÉLISE

Partout on s'y promène avec ravissement*.

PHILAMINTE

815 On n'y saurait marcher que sur de belles choses.

---

1. Hésiter à son sujet.

ARMANDE

Ce sont petits chemins tout parsemés de roses.

TRISSOTIN

Le sonnet donc vous semble…

PHILAMINTE

                   Admirable, nouveau,
Et personne jamais n'a rien fait de si beau.

BÉLISE

Quoi, sans émotion pendant cette lecture ?
820 Vous faites là, ma nièce, une étrange* figure [1] !

HENRIETTE

Chacun fait ici-bas la figure qu'il peut,
Ma tante ; et bel esprit, il ne l'est pas qui veut.

TRISSOTIN

Peut-être que mes vers importunent Madame.

HENRIETTE

Point, je n'écoute pas.

PHILAMINTE

               Ah ? Voyons l'épigramme.

TRISSOTIN

SUR UN CARROSSE
de couleur amarante, donné
à une dame de ses amies [2].

PHILAMINTE

825 Ces titres ont toujours quelque chose de rare.

---

1. Votre comportement est déplacé. Voir la note du v. 544.
2. Ce poème avait été publié (comme madrigal) sous le titre « Sur un carrosse de couleur amarante, acheté pour une dame » dans les *Œuvres galantes* (1663) de l'abbé Cotin. Une unique modification, ici encore : « m'en coûte » au lieu de « me coûte » (v. 828).

ARMANDE

À cent beaux traits d'esprit leur nouveauté prépare.

TRISSOTIN

L'Amour si chèrement m'a vendu son lien,

BÉLISE, ARMANDE *et* PHILAMINTE

Ah !

TRISSOTIN

Qu'il m'en coûte déjà la moitié de mon bien.
 Et quand tu vois ce beau carrosse
830 *Où tant d'or se relève en bosse*[1],
 Qu'il étonne tout le pays,
Et fait pompeusement triompher ma Laïs[2],

PHILAMINTE

Ah *ma Laïs* ! Voilà de l'érudition.

BÉLISE

L'enveloppe[3] est jolie, et vaut un million.

TRISSOTIN

 Et quand tu vois ce beau carrosse,
 Où tant d'or se relève en bosse,
 Qu'il étonne tout le pays,
Et fait pompeusement triompher ma Laïs,
835 *Ne dis plus qu'il est amarante,*
  Dis plutôt qu'il est de ma rente.

ARMANDE

Oh, oh, oh ! Celui-là ne s'attend point du tout.

----

1. Relever en bosse (terme du domaine de la scupture) : décorer de reliefs.

2. Courtisane de l'Antiquité grecque célèbre pour sa beauté.

3. Voile, manière de déguiser ce que l'on veut dire. En réalité, le procédé qui consiste à utiliser un pseudonyme antique pour désigner la maîtresse du poète est extrêmement banal.

PHILAMINTE

On n'a que lui qui puisse écrire de ce goût.

BÉLISE

Ne dis plus qu'il est amarante,
Dis plutôt qu'il est de ma rente.
Voilà qui se décline, ma rente, de ma rente, à ma rente.

PHILAMINTE

Je ne sais du moment que [1] je vous ai connu,
840 Si sur votre sujet j'ai l'esprit prévenu,
Mais j'admire partout vos vers et votre prose.

TRISSOTIN

Si vous vouliez de vous nous montrer quelque chose,
À notre tour aussi nous pourrions admirer.

PHILAMINTE

Je n'ai rien fait en vers, mais j'ai lieu d'espérer
845 Que je pourrai bientôt vous montrer en amie,
Huit chapitres du plan de notre académie [2].
Platon s'est au projet simplement arrêté,
Quand de sa République il a fait le traité [3] ;
Mais à l'effet entier [4] je veux pousser l'idée
850 Que j'ai sur le papier en prose accommodée [5],

---

1. Depuis que.
2. Les académies, depuis le modèle de l'Académie de Platon, sont des sociétés savantes dans les domaines des belles-lettres, de la science ou des arts. Les femmes n'y étaient pas admises en France au XVIIe siècle. L'idée comique d'une académie de femmes avait fourni le titre et en partie le sujet d'une pièce de Samuel Chapuzeau (*L'Académie des femmes*, 1661). L'idée apparaissait aussi dans la comédie *Le Procès de la femme juge et partie* de Montfleury, en 1669 (I, 1).
3. Il faut probablement comprendre que Platon, dans *La République*, a élaboré un projet théorique de communauté idéale qu'il n'a pas tenté ensuite de concrétiser, tandis que Philaminte, elle, compte mettre en pratique le projet qu'elle a conçu.
4. La réalisation entière.
5. Arrangée, disposée.

Car enfin je me sens un étrange* dépit [1]
Du tort que l'on nous fait du côté de l'esprit,
Et je veux nous venger toutes tant que nous sommes
De cette indigne classe où nous rangent les hommes ;
855 De borner nos talents à des futilités,
Et nous fermer la porte aux sublimes clartés.

ARMANDE

C'est faire à notre sexe une trop grande offense,
De n'étendre l'effort* de notre intelligence,
Qu'à juger d'une jupe et de l'air d'un manteau,
860 Ou des beautés d'un point [2], ou d'un brocart [3] nouveau.

BÉLISE

Il faut se relever [4] de ce honteux partage,
Et mettre hautement notre esprit hors de page [5].

TRISSOTIN

Pour les dames on sait mon respect en tous lieux,
Et si je rends hommage aux brillants de leurs yeux,
865 De leur esprit aussi j'honore les lumières.

PHILAMINTE

Le sexe [6] aussi vous rend justice en ces matières ;
Mais nous voulons montrer à de certains esprits,
Dont l'orgueilleux savoir nous traite avec mépris,
Que de science aussi les femmes sont meublées [7],
870 Qu'on peut faire comme eux de doctes assemblées,
Conduites en cela par des ordres [8] meilleurs,

---

1. Une étrange colère.
2. D'une dentelle.
3. Étoffe avec dessins brochés en soie, en or ou en argent.
4. Sortir.
5. « On le dit figurément de ceux qui sont affranchis de quelque puissance ou autorité qu'on prenait sur eux » (Furetière). La métaphore est celle du page qui a fini sa formation auprès de l'écuyer.
6. Le « beau » sexe, c'est-à-dire les femmes.
7. Pourvues. Sur cette expression, voir la note du v. 563.
8. Principes, règles de fonctionnement.

Qu'on y veut réunir ce qu'on sépare ailleurs [1] ;
Mêler le beau langage, et les hautes sciences ;
Découvrir la nature en mille expériences ;
875 Et sur les questions qu'on pourra proposer,
Faire entrer chaque secte [2], et n'en point épouser.

TRISSOTIN
Je m'attache pour l'ordre au péripatétisme [3].

PHILAMINTE
Pour les abstractions j'aime le platonisme [4].

ARMANDE
Épicure me plaît, et ses dogmes sont forts [5].

BÉLISE
880 Je m'accommode assez pour moi des petits corps ;
Mais le vide à souffrir me semble difficile,
Et je goûte bien mieux la matière subtile [6].

TRISSOTIN
Descartes pour l'aimant [7] donne fort dans mon sens.

---

1. À la date où Molière crée *Les Femmes savantes*, l'Académie française (pour les belles-lettres), l'Académie royale de peinture et de sculpture, l'Académie royale des inscriptions, l'Académie des sciences, l'Académie royale de musique et l'Académie royale d'architecture sont des institutions séparées.
2. Doctrine.
3. Doctrine d'Aristote, connue pour son ordre logique systématique.
4. Le platonisme distingue les choses de la réalité sensible de leur idée abstraite.
5. Hétérodoxes (voire libertins). La théorie épicurienne propose en effet une explication matérialiste du monde.
6. Termes des débats entre cartésiens et gassendistes (qui suivent sur ces questions les théories d'Épicure). Descartes nie l'existence du vide et lui substitue l'idée d'une « matière subtile » qui emplirait tous les intervalles de l'univers. Cotin lui-même avait pris part au débat. Voir la note du v. 884, ainsi que la Présentation, p. 22 *sq.* Sur les petits corps, voir la note du v. 617. Le comique, dans les propos de Bélise aux v. 880-882, repose aussi sur un double sens grivois.
7. Descartes théorise longuement le principe de l'aimant dans *Les Principes de la philosophie*, IV, 133-185.

ARMANDE

J'aime ses tourbillons.

PHILAMINTE

Moi, ses mondes tombants [1].

ARMANDE

885 Il me tarde de voir notre assemblée ouverte,
Et de nous signaler par quelque découverte.

TRISSOTIN

On en attend beaucoup de vos vives clartés,
Et pour vous la nature a peu d'obscurités.

PHILAMINTE

Pour moi, sans me flatter, j'en ai déjà fait une,
890 Et j'ai vu clairement des hommes dans la Lune [2].

BÉLISE

Je n'ai point encor vu d'hommes comme je crois,
Mais j'ai vu des clochers tout comme je vous vois.

ARMANDE

Nous approfondirons ainsi que la physique,
Grammaire, histoire, vers, morale, et politique.

---

1. La chute des mondes d'un tourbillon à l'autre est l'explication que donne Descartes des comètes (voir la note du v. 1270). L'expression « mondes tombants » n'apparaît pas telle quelle chez Descartes, mais on la trouve chez Cotin : « Renvoyons ces philosophes rêveurs avec leurs petits corps imperceptibles, ou leur matière subtile, leur matière rameuse, ou leur *hamata corpora*, à Démocrite, à Leucipe, à Épicure, qui se divertissent ainsi cruellement du fracas de plusieurs mondes tombant les uns sur les autres » (*Galanterie sur la comète*, in *Œuvres galantes*, 1665, p. 365).

2. La préoccupation des astronomes pour l'observation de la Lune est d'actualité sur le plan scientifique à l'époque de la création des *Femmes savantes*. L'Observatoire de Paris, fondé en 1667, avait été confié en 1671 au célèbre astronome italien Jean Dominique Cassini. Cette activité était considérée avec amusement, dédain ou méfiance dans les milieux éclairés. Voir aussi la note du v. 593.

PHILAMINTE

895 La morale a des traits dont mon cœur est épris,
Et c'était autrefois l'amour des grands esprits ;
Mais aux stoïciens je donne l'avantage,
Et je ne trouve rien de si beau que leur Sage.

ARMANDE

Pour la langue, on verra dans peu nos règlements,
900 Et nous y prétendons faire des remuements [1].
Par une antipathie ou juste, ou naturelle [2],
Nous avons pris chacune une haine mortelle
Pour un nombre de mots, soit ou verbes, ou noms,
Que mutuellement nous nous abandonnons ;
905 Contre eux nous préparons de mortelles sentences,
Et nous devons ouvrir nos doctes conférences
Par les proscriptions de tous ces mots divers,
Dont nous voulons purger et la prose et les vers [3].

PHILAMINTE

Mais le plus beau projet de notre académie,
910 Une entreprise noble et dont je suis ravie ;
Un dessein plein de gloire, et qui sera vanté
Chez tous les beaux esprits de la postérité,
C'est le retranchement de ces syllabes sales [4],

---

1. Changements.
2. Le sens de ce vers n'est pas clair. Il s'agit peut-être d'une allusion à la Préface des *Remarques* de Vaugelas où il évoque l'aversion, comparable à une aversion naturelle pour des aliments, que les écrivains manifestent parfois pour certaines expressions. Le cas échéant, on peut imaginer qu'Armande considère comme « justes » les antipathies fondées plutôt sur un raisonnement.
3. La démarche de correction et de purgation de la langue française est celle des « remarqueurs », dont le plus célèbre, à l'époque de Molière, est Vaugelas (voir la note du v. 462). Mais les pratiques décrites évoquent surtout celles de l'Académie française, qui rendait des « sentences ». Les personnages de *La Comédie des académistes* (1650) de Saint-Évremond avaient des projets similaires de régulation autoritaire et arbitraire de la langue.
4. Les syllabes sales sont celles qui ont un double sens grivois (con, cu-, vis…).

Qui dans les plus beaux mots produisent des scandales ;
915 Ces jouets éternels des sots de tous les temps ;
Ces fades lieux communs de nos méchants* plaisants ;
Ces sources d'un amas d'équivoques infâmes,
Dont on vient faire insulte à la pudeur des femmes.

TRISSOTIN

Voilà certainement d'admirables projets !

BÉLISE

920 Vous verrez nos statuts quand ils seront tous faits.

TRISSOTIN

Ils ne sauraient manquer d'être tous beaux et sages.

ARMANDE

Nous serons par nos lois les juges des ouvrages.
Par nos lois, prose et vers, tout nous sera soumis.
Nul n'aura de l'esprit, hors nous et nos amis.
925 Nous chercherons partout à trouver à redire,
Et ne verrons que nous qui sache [1] bien écrire.

Scène 3

L'ÉPINE, TRISSOTIN, PHILAMINTE, BÉLISE,
ARMANDE, HENRIETTE, VADIUS.

L'ÉPINE

Monsieur, un homme est là qui veut parler à vous,
Il est vêtu de noir, et parle d'un ton doux.

TRISSOTIN

C'est cet ami savant qui m'a fait tant d'instance [2]
930 De lui donner l'honneur de votre connaissance.

---

1. Le singulier, dans cette construction, est correct au XVIIe siècle.
2. Qui m'a demandé si instamment.

PHILAMINTE

Pour le faire venir, vous avez tout crédit.
Faisons bien les honneurs au moins de notre esprit.
Holà[1]. Je vous ai dit en paroles bien claires,
Que j'ai besoin de vous.

HENRIETTE

Mais pour quelles affaires ?

PHILAMINTE

935   Venez, on va dans peu vous les faire savoir.

TRISSOTIN

Voici l'homme qui meurt du désir de vous voir.
En vous le produisant*, je ne crains point le blâme
D'avoir admis chez vous un profane, Madame,
Il peut tenir son coin[2] parmi de beaux esprits.

PHILAMINTE

940   La main qui le présente en dit assez le prix.

TRISSOTIN

Il a des vieux auteurs la pleine intelligence,
Et sait du grec, Madame, autant qu'homme de France[3].

PHILAMINTE

Du grec, ô ciel ! Du grec ! Il sait du grec[4], ma sœur !

---

1. La réplique indique que Philaminte arrête ici Henriette, qui tente de sortir.

2. « On dit, qu'un homme *tient bien son coin* dans une conversation […] quand il parle juste et à propos lorsque son tour vient de parler » (Furetière). La métaphore vient du jeu de paume.

3. Mieux que quiconque, le mieux du monde.

4. L'apprentissage du grec en France au XVIIe siècle est beaucoup plus rare que celui du latin. Jusqu'aux années 1690, peu d'hommes de lettres le maîtrisent. Gilles Ménage, modèle probable du personnage de Vadius, fait partie des exceptions, tout comme, au demeurant, l'abbé Cotin lui-même. Dans *L'Académie des femmes* de Chapuzeau, la savante Émilie écrivait elle-même en grec sous les yeux du valet Guillot, qui s'en étonnait : « Du grec ! » (III, 4).

BÉLISE

Ah, ma nièce, du grec !

ARMANDE

Du grec ! Quelle douceur !

PHILAMINTE

945 Quoi, Monsieur sait du grec ? Ah permettez, de grâce,
Que pour l'amour du grec, Monsieur, on vous embrasse.

Il les baise toutes, jusques à Henriette,
qui le refuse.

HENRIETTE

Excusez-moi, Monsieur, je n'entends* pas le grec.

PHILAMINTE

J'ai pour les livres grecs un merveilleux respect.

VADIUS

Je crains d'être fâcheux, par l'ardeur qui m'engage
950 À vous rendre aujourd'hui, Madame, mon hommage,
Et j'aurai pu troubler [1] quelque docte entretien.

PHILAMINTE

Monsieur, avec du grec on ne peut gâter rien.

TRISSOTIN

Au reste il fait merveille en vers ainsi qu'en prose,
Et pourrait, s'il voulait, vous montrer quelque chose.

VADIUS

955 Le défaut des auteurs dans leurs productions,
C'est d'en tyranniser les conversations ;
D'être au Palais [2], au Cours [3], aux ruelles [4], aux tables,

---

1. Il est possible que j'aie troublé. Cet emploi littéraire du futur anté-
rieur marque l'affectation du personnage.
2. Voir la note du v. 266.
3. Le Cours de la reine, lieu de promenade et de sociabilité de la
bonne société.
4. Salons.

De leurs vers fatigants lecteurs infatigables.
Pour moi je ne vois rien de plus sot à mon sens,
960 Qu'un auteur qui partout va gueuser[1] des encens ;
Qui des premiers venus saisissant les oreilles,
En fait le plus souvent les martyrs de ses veilles[2].
On ne m'a jamais vu ce fol entêtement,
Et d'un Grec là-dessus je suis le sentiment[3],
965 Qui par un dogme exprès défend à tous ses[4] sages
L'indigne empressement de lire leurs ouvrages.
Voici de petits vers pour de jeunes amants*,
Sur quoi je voudrais bien avoir vos sentiments.

TRISSOTIN

Vos vers ont des beautés que n'ont point tous les autres.

VADIUS

970 Les Grâces et Vénus[5] règnent dans tous les vôtres.

TRISSOTIN

Vous avez le tour libre, et le beau choix des mots.

VADIUS

On voit partout chez vous l'*ithos* et le *pathos*[6].

---

1. Mendier.
2. « Les savants nous font voir du fruit de leurs veilles, et on appelle poétiquement leurs ouvrages de doctes, de savantes veilles » (Furetière).
3. La référence à l'autorité d'un auteur grec est l'une des caractérisations les plus typiques du discours du pédant dans la tradition comique italienne et française depuis le XVIᵉ siècle. Il pourrait ici s'agir d'une référence à Épicure, dont le biographe Diogène Laërce mentionne un propos assez proche (voir la note 34 dans Molière, *Œuvres complètes*, dir. C. Bourqui, Gallimard, « Bibliothèque de la Pléiade », t. II, p. 1537-1538).
4. Le possessif s'explique si les « sages » désignent ici les disciples.
5. Les trois Grâces, dans la mythologie gréco-romaine, incarnent la créativité, la beauté et la séduction, et sont les compagnes de Vénus, déesse de l'amour.
6. Dans la rhétorique de Cicéron, l'*ethos* et le *pathos* désignent les mœurs et les sentiments. Chez Quintilien (*Institution oratoire*, VI, 2), ces mêmes termes distinguent les sentiments exprimés dans un discours : grandes passions pour l'*ethos*, sentiments doux et tendres pour le *pathos*. La prononciation du « è » grec en « i », conforme à la prononciation du

TRISSOTIN

Nous avons vu de vous des églogues [1] d'un style
Qui passe en doux attraits Théocrite [2] et Virgile.

VADIUS

975 Vos odes ont un air noble, galant et doux,
Qui laisse de bien loin votre Horace après vous.

TRISSOTIN

Est-il rien d'amoureux comme vos chansonnettes ?

VADIUS

Peut-on voir rien d'égal aux sonnets que vous faites ?

TRISSOTIN

980 Rien qui soit plus charmant* que vos petits rondeaux ?

VADIUS

Rien de si plein d'esprit que tous vos madrigaux ?

TRISSOTIN

Aux ballades surtout vous êtes admirable.

VADIUS

Et dans les bouts-rimés [3] je vous trouve adorable*.

TRISSOTIN

Si la France pouvait connaître votre prix,

VADIUS

Si le siècle rendait justice aux beaux esprits,

---

grec moderne déjà au XVIIe siècle mais proscrite par Érasme dès le
XVe siècle, est explicitement condamnée par le janséniste Lancelot dans
sa *Nouvelle méthode pour apprendre facilement la langue grecque* en 1667
(Préface, p. 30). Cette prononciation est précisément censée avoir été celle
de Gilles Ménage (*Menagiana*, F. et P. Delaulne, 1693, p. 391-393).

1. L'une des églogues de Gilles Ménage avait fait l'objet d'une violente attaque de la part de Boileau (*Avis à Monsieur Ménage sur son
églogue intitulée Christine*, 1656).

2. Auteur grec considéré comme le premier poète bucolique.

3. Jeu poétique dans lequel l'auteur est tenu de respecter des rimes
imposées.

TRISSOTIN

985 En carrosse doré vous iriez par les rues.

VADIUS

On verrait le public vous dresser des statues.
Hom [1]. C'est une ballade, et je veux que tout net
Vous m'en…

TRISSOTIN

Avez-vous vu certain petit sonnet
Sur la fièvre qui tient la princesse Uranie ?

VADIUS

990 Oui, hier il me fut lu dans une compagnie [2].

TRISSOTIN

Vous en savez l'auteur ?

VADIUS

Non ; mais je sais fort bien,
Qu'à ne le point flatter, son sonnet ne vaut rien.

TRISSOTIN

Beaucoup de gens pourtant le trouvent admirable.

VADIUS

Cela n'empêche pas qu'il ne soit misérable ;
995 Et si vous l'avez vu, vous serez de mon goût.

TRISSOTIN

Je sais que là-dessus je n'en suis point du tout,
Et que d'un tel sonnet peu de gens sont capables.

VADIUS

Me préserve le ciel d'en faire de semblables !

TRISSOTIN

Je soutiens qu'on ne peut en faire de meilleur ;
1000 Et ma grande raison, c'est que j'en suis l'auteur.

---

1. Vadius s'éclaircit la gorge pour prendre la parole.
2. Allusion aux assemblées de lettrés, dans lesquelles on lisait à haute voix des productions littéraires.

VADIUS

Vous ?

TRISSOTIN

Moi.

VADIUS

Je ne sais donc comment se fit l'affaire.

TRISSOTIN

C'est qu'on fut malheureux de ne pouvoir vous plaire.

VADIUS

Il faut qu'en écoutant j'aie eu l'esprit distrait,
Ou bien que le lecteur m'ait gâté le sonnet.
1005 Mais laissons ce discours, et voyons ma ballade.

TRISSOTIN

La ballade, à mon goût, est une chose fade.
Ce n'en est plus la mode ; elle sent son vieux temps.

VADIUS

La ballade pourtant charme* beaucoup de gens.

TRISSOTIN

Cela n'empêche pas qu'elle ne me déplaise.

VADIUS

1010 Elle n'en reste pas pour cela plus mauvaise.

TRISSOTIN

Elle a pour les pédants de merveilleux appas.

VADIUS

Cependant nous voyons qu'elle ne vous plaît pas [1].

TRISSOTIN

Vous donnez sottement vos qualités aux autres.

_____

1. Le raisonnement est le suivant : il est faux de dire que la ballade
plaît aux pédants puisque vous êtes pédant et qu'elle ne vous plaît pas.

VADIUS

Fort impertinemment [1] vous me jetez les vôtres.

TRISSOTIN

1015 Allez, petit grimaud [2], barbouilleur de papier [3].

VADIUS

Allez, rimeur de balle [4], opprobre du métier.

TRISSOTIN

Allez, fripier d'écrits [5], impudent plagiaire.

VADIUS

Allez, cuistre…

PHILAMINTE

Eh, Messieurs, que prétendez-vous faire ?

TRISSOTIN

Va, va restituer tous les honteux larcins
1020 Que réclament sur toi les Grecs et les Latins,

VADIUS

Va, va-t'en faire amende honorable au Parnasse,
D'avoir fait à tes vers estropier Horace.

TRISSOTIN

Souviens-toi de ton livre, et de son peu de bruit.

---

1. Sottement.

2. « Écolier, petit marmot, jeune homme qui ne sait pas grand'chose et qui est à peine initié dans les lettres » (Richelet).

3. L'expression désigne fréquemment un mauvais écrivain.

4. On dit figurément *de balle* « de toutes les choses qu'on méprise, ou qui ne valent rien » (Furetière). L'image vient des marchandises fabriquées à l'étranger et reçues dans des balles (ballots) par opposition à l'artisanat local.

5. Le fripier fabrique des habits nouveaux en réutilisant d'anciens vêtements. Gilles Ménage avait été violemment accusé de plagiat, notamment par Cotin dans sa *Ménagerie* (1666) et avant lui Boileau (*Avis à Monsieur Ménage…*, 3e éd. revue, Paris, G. de Luyne, 1657, p. 14-15). Voir aussi la note 3, p. 133.

VADIUS

Et toi, de ton libraire à l'hôpital [1] réduit.

TRISSOTIN

1025 Ma gloire est établie, en vain tu la déchires.

VADIUS

Oui, oui, je te renvoie à l'auteur des *Satires* [2].

TRISSOTIN

Je t'y renvoie aussi.

VADIUS

J'ai le contentement,
Qu'on voit qu'il m'a traité plus honorablement.
Il me donne en passant une atteinte légère
1030 Parmi plusieurs auteurs qu'au Palais on révère [3] ;
Mais jamais dans ses vers il ne te laisse en paix,
Et l'on t'y voit partout être en butte à ses traits.

TRISSOTIN

C'est par là que j'y tiens un rang plus honorable.
Il te met dans la foule ainsi qu'un misérable,
1035 Il croit que c'est assez d'un coup pour t'accabler,
Et ne t'a jamais fait l'honneur de redoubler [4] :
Mais il m'attaque à part comme un noble aversaire [5]
Sur qui tout son effort* lui semble nécessaire ;
Et ses coups contre moi redoublés en tous lieux,
1040 Montrent qu'il ne se croit jamais victorieux.

1. Lieu où se retirent les pauvres qui n'ont pas les moyens de vivre.
2. Boileau avait attaqué violemment Cotin dans ses *Satires*, parues en 1666 et 1668 (III, VIII et IX), et dans sa première *Épître*, parue en 1670. Il s'y moquait notamment de la médiocre qualité des productions de Cotin et de son comportement vaniteux et rancunier.
3. La *Satire* IV de Boileau égratignait, au sein d'une attaque visant Jean Chapelain, le jugement des « grimauds » constituant l'assemblée hebdomadaire que Ménage tenait chez lui (Paris, C. Barbin, 1666, p. 37).
4. Donner un second coup.
5. Adversaire.

VADIUS

Ma plume t'apprendra quel homme je puis être.

TRISSOTIN

Et la mienne saura te faire voir ton maître.

VADIUS

Je te défie en vers, prose, grec, et latin [1].

TRISSOTIN

Hé bien, nous nous verrons seul à seul chez Barbin [2].

Scène 4

TRISSOTIN, PHILAMINTE, ARMANDE,
BÉLISE, HENRIETTE.

TRISSOTIN

1045 À mon emportement ne donnez aucun blâme ;
C'est votre jugement que je défends, Madame,
Dans le sonnet qu'il a l'audace d'attaquer.

PHILAMINTE

À vous remettre bien [3] je me veux appliquer.
Mais parlons d'autre affaire. Approchez, Henriette.
1050 Depuis assez longtemps mon âme s'inquiète,
De ce qu'aucun esprit en vous ne se fait voir,
Mais je trouve un moyen de vous en faire avoir.

---

1. Les poèmes de Ménage, dont la cinquième édition est parue en
1668, mêlent de fait prose et vers, en français, en latin et en grec.
2. Claude Barbin est l'imprimeur-libraire des nouveautés à la mode.
Cet appel grandiloquent au duel implique aussi que le combat se pour-
suivra par publications interposées.
3. Réconcilier.

HENRIETTE

C'est prendre un soin pour moi qui n'est pas nécessaire.
Les doctes entretiens ne sont point mon affaire.
1055 J'aime à vivre aisément [1], et dans tout ce qu'on dit
Il faut se trop peiner, pour avoir de l'esprit [2].
C'est une ambition que je n'ai point en tête.
Je me trouve fort bien, ma mère, d'être bête [3],
Et j'aime mieux n'avoir que de communs propos,
1060 Que de me tourmenter pour dire de beaux mots.

PHILAMINTE

Oui, mais j'y suis blessée, et ce n'est pas mon conte [4]
De souffrir dans mon sang une pareille honte.
La beauté du visage est un frêle ornement,
Une fleur passagère, un éclat d'un moment,
1065 Et qui n'est attaché qu'à la simple épiderme [5];
Mais celle de l'esprit est inhérente [6] et ferme.
J'ai donc cherché longtemps un biais [7] de vous donner
La beauté que les ans ne peuvent moissonner,
De faire entrer chez vous le désir des sciences,
1070 De vous insinuer [8] les belles connaissances;
Et la pensée enfin où mes vœux ont souscrit,
C'est d'attacher à vous un homme plein d'esprit,
Et cet homme est Monsieur que je vous détermine
À voir comme l'époux que mon choix vous destine.

---

1. Sans effort.
2. Montrer qu'on a de l'esprit. La valeur accordée à la facilité et au refus de l'ostentation place Henriette du côté de la véritable honnêteté.
3. Ignorante. Le propos, ironique dans sa formulation, manifeste une réserve de bon aloi opposée à l'exhibition du savoir.
4. Mon ambition (sens vieilli).
5. Le terme, en français, est masculin au XVIIe siècle comme aujourd'hui. Philaminte, soucieuse de rigueur étymologique, lui attribue ici le genre féminin du terme grec *epidermis*.
6. Attachée de façon indissociable. Philaminte réactive ici, dans les termes d'une pensée dualiste, un lieu commun qui oppose le côté éphémère de la beauté féminine à la permanence des ouvrages de l'esprit.
7. Moyen.
8. Faire entrer de façon douce.

HENRIETTE

1075 Moi, ma mère ?

PHILAMINTE

Oui, vous. Faites la sotte un peu.

BÉLISE

Je vous entends*. Vos yeux demandent mon aveu,
Pour engager ailleurs un cœur que je possède.
Allez, je le veux bien. À ce nœud je vous cède,
C'est un hymen qui fait votre établissement [1].

TRISSOTIN

1080 Je ne sais que vous dire en mon ravissement*,
Madame, et cet hymen dont je vois qu'on m'honore
Me met...

HENRIETTE

Tout beau, Monsieur, il n'est pas fait encore,
Ne vous pressez pas tant.

PHILAMINTE

Comme vous répondez !
Savez-vous bien que si... Suffit, vous m'entendez*.
1085 Elle se rendra sage ; allons, laissons-la faire.

Scène 5

HENRIETTE, ARMANDE.

ARMANDE

On voit briller pour vous les soins de notre mère ;
Et son choix ne pouvait d'un plus illustre époux...

HENRIETTE

Si le choix est si beau, que ne le prenez-vous ?

_____

1. Qui assure votre avenir.

ARMANDE

C'est à vous, non à moi, que sa main est donnée.

HENRIETTE

1090 Je vous le cède tout, comme à ma sœur aînée.

ARMANDE

Si l'hymen comme à vous, me paraissait charmant*,
J'accepterais votre offre avec ravissement*.

HENRIETTE

Si j'avais comme vous les pédants dans la tête,
Je pourrais le trouver un parti fort honnête.

ARMANDE

1095 Cependant bien qu'ici nos goûts soient différents,
Nous devons obéir, ma sœur, à nos parents ;
Une mère a sur nous une entière puissance [1],
Et vous croyez en vain par votre résistance…

Scène 6

CHRYSALE, ARISTE, CLITANDRE,
HENRIETTE, ARMANDE.

CHRYSALE

Allons, ma fille, il faut approuver mon dessein.
1100 Ôtez ce gant. Touchez à Monsieur dans la main [2],
Et le considérez désormais dans votre âme
En homme dont je veux que vous soyez la femme.

---

1. Inversion de la notion romaine de puissance paternelle, qui régit
légalement les relations entre parents et enfants au XVIIe siècle.
2. Toucher dans la main est la première étape de l'engagement
marital.

ARMANDE

De ce côté, ma sœur, vos penchants [1] sont fort grands.

HENRIETTE

Il nous faut obéir, ma sœur, à nos parents ;
1105   Un père a sur nos vœux une entière puissance.

ARMANDE

Une mère a sa part à notre obéissance.

CHRYSALE

Qu'est-ce à dire ?

ARMANDE

Je dis que j'appréhende fort
Qu'ici ma mère et vous ne soyez pas d'accord,
Et c'est un autre époux...

CHRYSALE

Taisez-vous, péronnelle ?
1110   Allez philosopher tout le soûl avec elle,
Et de mes actions ne vous mêlez en rien.
Dites-lui ma pensée, et l'avertissez bien
Qu'elle ne vienne pas m'échauffer les oreilles ;
Allons vite.

ARISTE

Fort bien ; vous faites des merveilles.

CLITANDRE

1115   Quel transport ! Quelle joie ! Ah que mon sort est doux !

CHRYSALE

Allons, prenez sa main, et passez devant nous,
Menez-la dans sa chambre. Ah les douces caresses !
Tenez, mon cœur s'émeut à toutes ces tendresses,

---

1. « En parlant de perte, de ruine et de destruction. Il signifie
moment fatal où une chose est prête à périr, à décliner » (Richelet).

Cela ragaillardit tout à fait mes vieux jours,
20 Et je me ressouviens de mes jeunes amours.

Fin du troisième acte.

ACTE IV

Scène première

ARMANDE, PHILAMINTE.

ARMANDE

Oui, rien n'a retenu son esprit en balance*.
Elle a fait vanité de son obéissance.
Son cœur, pour se livrer, à peine devant moi
S'est-il donné le temps d'en recevoir la loi,
1125 Et semblait suivre moins les volontés d'un père,
Qu'affecter de braver les ordres d'une mère.

PHILAMINTE

Je lui montrerai bien aux lois de qui des deux
Les droits de la raison soumettent tous ses vœux ;
Et qui doit gouverner ou sa mère, ou son père,
1130 Ou l'esprit, ou le corps ; la forme, ou la matière [1].

ARMANDE

On vous en devait bien au moins un compliment [2],
Et ce petit Monsieur en use étrangement*,
De vouloir malgré vous devenir votre gendre.

---

1. Philaminte mobilise des systèmes de pensée hétérogènes : la distinction entre forme et matière relève de la philosophie aristotélicienne. Le « gouvernement » de l'esprit sur le corps est une notion stoïcienne ou cartésienne. Voir aussi la note du v. 476 et le Dossier, p. 174 *sq.*
2. On aurait dû au moins vous en toucher un mot.

PHILAMINTE

Il n'en est pas encore où son cœur peut prétendre.
135 Je le trouvais bien fait, et j'aimais vos amours ;
Mais dans ses procédés il m'a déplu toujours.
Il sait que Dieu merci je me mêle d'écrire,
Et jamais il ne m'a priée de lui rien lire.

Scène 2

CLITANDRE, ARMANDE, PHILAMINTE.

ARMANDE

Je ne souffrirais point, si j'étais que de vous [1],
140 Que jamais d'Henriette il pût être l'époux.
On me ferait grand tort d'avoir quelque pensée,
Que là-dessus je parle en fille intéressée,
Et que le lâche tour que l'on voit qu'il me fait,
Jette au fond de mon cœur quelque dépit secret.
145 Contre de pareils coups l'âme se fortifie
Du solide secours de la philosophie,
Et par elle on se peut mettre au-dessus de tout [2] :
Mais vous traiter ainsi, c'est vous pousser à bout.
Il est de votre honneur d'être à ses vœux contraire,
150 Et c'est un homme enfin qui ne doit point vous plaire.
Jamais je n'ai connu, discourant entre nous,
Qu'il eût au fond du cœur de l'estime pour vous.

PHILAMINTE

Petit sot !

ARMANDE

Quelque bruit que votre gloire fasse,
Toujours à vous louer il a paru de glace.

_____
1. Si j'étais vous.
2. Précepte conforme à la sagesse stoïcienne.

PHILAMINTE

1155 Le brutal* !

ARMANDE

Et vingt fois, comme ouvrages nouveaux,
J'ai lu des vers de vous qu'il n'a point trouvés beaux.

PHILAMINTE

L'impertinent !

ARMANDE

Souvent nous en étions aux prises [1] ;
Et vous ne croiriez point de combien de sottises...

CLITANDRE

Eh doucement de grâce : un peu de charité,
1160 Madame, ou tout au moins un peu d'honnêteté.
Quel mal vous ai-je fait ? Et quelle est mon offense,
Pour armer contre moi toute votre éloquence ?
Pour vouloir me détruire [2], et prendre tant de soin
De me rendre odieux aux gens dont j'ai besoin ?
1165 Parlez. Dites, d'où vient ce courroux effroyable ?
Je veux bien que Madame en soit juge équitable.

ARMANDE

Si j'avais le courroux dont on veut m'accuser,
Je trouverais assez de quoi l'autoriser ;
Vous en seriez trop digne, et les premières flammes
1170 S'établissent des droits si sacrés sur les âmes,
Qu'il faut perdre fortune, et renoncer au jour,
Plutôt que de brûler des feux d'un autre amour [3] ;
Au changement de vœux nulle horreur ne s'égale,
Et tout cœur infidèle est un monstre en morale [4].

---

1. Nous nous disputions à ce sujet.
2. Discréditer.
3. Maxime d'amour. Molière reprend ici et adapte (v. 1169-1172) un passage de sa comédie héroïque *Don Garcie de Navarre* (v. 912-915), créée en 1661 (publication posthume).
4. Autre maxime d'amour. Morale : ici, science des mœurs, qui établit la norme des comportements.

CLITANDRE

1175 Appelez-vous, Madame, une infidélité,
Ce que m'a de votre âme ordonné la fierté ?
Je ne fais qu'obéir aux lois qu'elle m'impose ;
Et si je vous offense, elle seule en est cause.
Vos charmes* ont d'abord possédé tout mon cœur.
1180 Il a brûlé deux ans d'une constante ardeur ;
Il n'est soins empressés, devoirs, respects, services,
Dont il ne vous ait fait d'amoureux sacrifices.
Tous mes feux, tous mes soins ne peuvent rien sur vous,
Je vous trouve contraire à mes vœux les plus doux ;
1185 Ce que vous refusez, je l'offre au choix d'une autre.
Voyez. Est-ce, Madame, ou ma faute, ou la vôtre ?
Mon cœur court-il au change [1], ou si vous l'y poussez [2] ?
Est-ce moi qui vous quitte, ou vous qui me chassez ?

ARMANDE

Appelez-vous, Monsieur, être à vos vœux contraire,
1190 Que de leur arracher ce qu'ils ont de vulgaire*,
Et vouloir les réduire à cette pureté
Où du parfait amour consiste la beauté ?
Vous ne sauriez pour moi tenir votre pensée
Du commerce [3] des sens nette et débarrassée ?
1195 Et vous ne goûtez point, dans ses plus doux appas,
Cette union des cœurs où les corps n'entrent pas ?
Vous ne pouvez aimer que d'une amour grossière ?
Qu'avec tout l'attirail des nœuds de la matière ?
Et pour nourrir les feux que chez vous on produit,
1200 Il faut un mariage, et tout ce qui s'ensuit.
Ah quel étrange* amour ! Et que les belles âmes
Sont bien loin de brûler de ces terrestres flammes !
Les sens n'ont point de part à toutes leurs ardeurs,
Et ce beau feu ne veut marier que les cœurs.

---

1. Changement.
2. Ou est-ce vous qui l'y poussez ?
3. Relation, fréquentation (connotation péjorative).

1205 Comme une chose indigne, il laisse là le reste.
C'est un feu pur et net comme le feu céleste,
On ne pousse, avec lui, que d'honnêtes soupirs,
Et l'on ne penche point vers les sales désirs.
Rien d'impur ne se mêle au but qu'on se propose.
1210 On aime pour aimer, et non pour autre chose.
Ce n'est qu'à l'esprit seul que vont tous les transports
Et l'on ne s'aperçoit jamais qu'on ait un corps [1].

CLITANDRE

Pour moi par un malheur, je m'aperçois, Madame,
Que j'ai, ne vous déplaise, un corps tout comme une âme [2] :
1215 Je sens qu'il y tient trop [3], pour le laisser à part ;
De ces détachements je ne connais point l'art ;
Le Ciel m'a dénié cette philosophie,
Et mon âme et mon corps marchent de compagnie [4].
Il n'est rien de plus beau, comme vous avez dit,
1220 Que ces vœux épurés qui ne vont qu'à l'esprit,
Ces unions de cœurs, et ces tendres pensées,
Du commerce des sens si bien débarrassées :
Mais ces amours pour moi sont trop subtilisés [5],
Je suis un peu grossier, comme vous m'accusez ;
1225 J'aime avec tout moi-même, et l'amour qu'on me donne,
En veut, je le confesse, à toute la personne.
Ce n'est pas là matière à de grands châtiments ;

---

1. L'opposition entre un amour terrestre et matériel, d'une part, et un amour céleste et détaché des corps, d'autre part, apparente le discours d'Armande à celui d'une héroïne chrétienne ou d'une sainte.
2. Dans ses *Méditations métaphysiques*, Descartes pose d'abord l'existence de l'âme, avant d'étendre par principe le doute systématique à l'existence même du corps : « il est certain que ce moi, c'est-à-dire mon âme, par laquelle je suis ce que je suis, est entièrement et véritablement distincte de mon corps, et qu'elle peut être ou exister sans lui » (*Méditations métaphysiques*, VI, éd. M.-F. Pellegrin, GF-Flammarion, 2009, p. 190).
3. Il lui est trop accroché.
4. Ensemble.
5. Fins, épurés.

Et, sans faire de tort à vos beaux sentiments,
Je vois que dans le monde on suit fort ma méthode,
1230 Et que le mariage est assez à la mode,
Passe pour un lien assez honnête et doux,
Pour avoir désiré de me voir votre époux,
Sans que la liberté d'une telle pensée
Ait dû vous donner lieu d'en paraître offensée.

ARMANDE

1235 Hé bien, Monsieur, hé bien, puisque sans m'écouter,
Vos sentiments brutaux [1] veulent se contenter* ;
Puisque pour vous réduire à des ardeurs fidèles,
Il faut des nœuds de chair, des chaînes corporelles ;
Si ma mère le veut, je résous mon esprit
1240 À consentir pour vous à ce dont il s'agit.

CLITANDRE

Il n'est plus temps, Madame, une autre a pris la place ;
Et par un tel retour j'aurais mauvaise grâce
De maltraiter l'asile, et blesser les bontés,
Où je me suis sauvé de toutes vos fiertés.

PHILAMINTE

1245 Mais enfin comptez-vous, Monsieur, sur mon suffrage*,
Quand vous vous promettez cet autre mariage ?
Et dans vos visions* savez-vous, s'il vous plaît,
Que j'ai pour Henriette un autre époux tout prêt ?

CLITANDRE

Eh, Madame, voyez votre choix, je vous prie ;
1250 Exposez-moi, de grâce, à moins d'ignominie,
Et ne me rangez pas à l'indigne destin
De me voir le rival de Monsieur Trissotin.
L'amour des beaux esprits qui chez vous m'est contraire [2]

---

1. Liés à la partie brutale, c'est-à-dire animale.
2. Qui vous rend hostile à moi.

Ne pouvait m'opposer un moins noble aversaire [1].
1255 Il en est [2], et plusieurs, que pour le bel esprit
Le mauvais goût du siècle a su mettre en crédit :
Mais Monsieur Trissotin n'a pu duper personne,
Et chacun rend justice aux écrits qu'il nous donne.
Hors céans*, on le prise [3] en tous lieux ce qu'il vaut ;
1260 Et ce qui m'a vingt fois fait tomber de mon haut,
C'est de vous voir au ciel élever des sornettes,
Que vous désavoueriez, si vous les aviez faites.

PHILAMINTE

Si vous jugez de lui tout autrement que nous,
C'est que nous le voyons par d'autres yeux que vous.

Scène 3

TRISSOTIN, ARMANDE, PHILAMINTE, CLITANDRE.

TRISSOTIN

1265 Je viens vous annoncer une grande nouvelle.
Nous l'avons en dormant, Madame, échappé belle :
Un monde près de nous a passé tout du long,
Est chu tout au travers de notre tourbillon ;
Et s'il eût en chemin rencontré notre terre,
1270 Elle eût été brisée en morceaux comme verre [4].

---

1. Voir la note du v. 1037.
2. Il est des gens.
3. On lui donne le prix.
4. Le sujet est d'actualité : une comète était apparue début mars 1672, soit quelques jours avant la première représentation des *Femmes savantes*. La référence à la chute des mondes et aux tourbillons renvoie à la théorie de Descartes sur les comètes (voir la note du v. 884). Dans sa « Galanterie sur la comète apparue en décembre 1664 et janvier 1665 », Cotin avait proclamé son aversion pour ce sytème d'explication du phénomène et pour l'utilisation que certains en faisaient pour menacer le monde de sa ruine. Sur la défiance des milieux mondains envers l'astronomie, voir la note du v. 593 et Présentation, p. 22 *sq.*

PHILAMINTE

Remettons ce discours pour une autre saison,
Monsieur n'y trouverait ni rime, ni raison ;
Il fait profession [1] de chérir l'ignorance,
Et de haïr sur [2] tout l'esprit et la science.

CLITANDRE

1275 Cette vérité veut quelque adoucissement.
Je m'explique, Madame, et je hais seulement
La science et l'esprit qui gâtent les personnes.
Ce sont choses de soi [3] qui sont belles et bonnes ;
Mais j'aimerais mieux être au rang des ignorants,
1280 Que de me voir savant comme certaines gens.

TRISSOTIN

Pour moi, je ne tiens pas [4], quelque effet qu'on suppose [5],
Que la science soit pour gâter quelque chose.

CLITANDRE

Et c'est mon sentiment, qu'en faits, comme en propos,
La science est sujette à faire de grands sots [6].

TRISSOTIN

1285 Le paradoxe est fort [7].

CLITANDRE

                              Sans être fort habile,
La preuve m'en serait je pense assez facile.
Si les raisons manquaient, je suis sûr qu'en tout cas
Les exemples fameux ne me manqueraient pas.

---

1. Se targue.
2. Par-dessus.
3. En elles-mêmes.
4. Je ne suis pas d'avis.
5. Quel que soit l'effet qu'on imagine.
6. Le comique du dialogue qui suit repose sur le fait que Trissotin, bien qu'ayant reconnu la forme du paradoxe, ne parvient pas à en comprendre le véritable principe, qu'il assimile à une pure et simple contradiction.
7. Le terme marque l'intensité, non l'admiration.

TRISSOTIN

Vous en pourriez citer qui ne concluraient guère.

CLITANDRE

1290 Je n'irais pas bien loin pour trouver mon affaire.

TRISSOTIN

Pour moi je ne vois pas ces exemples fameux.

CLITANDRE

Moi, je les vois si bien, qu'ils me crèvent les yeux.

TRISSOTIN

J'ai cru jusques ici que c'était l'ignorance
Qui faisait les grands sots, et non pas la science.

CLITANDRE

1295 Vous avez cru fort mal, et je vous suis garant,
Qu'un sot savant est sot plus qu'un sot ignorant.

TRISSOTIN

Le sentiment commun est contre vos maximes,
Puisqu'ignorant et sot sont termes synonymes.

CLITANDRE

Si vous le voulez prendre aux usages du mot,
1300 L'alliance est plus grande entre pédant et sot [1].

TRISSOTIN

La sottise dans l'un se fait voir toute pure.

CLITANDRE

Et l'étude dans l'autre ajoute à la nature [2].

TRISSOTIN

Le savoir garde en soi son mérite éminent.

---

1. Voir *supra*, v. 1298. Comprendre : le sens du terme « sot » est plus proche de celui de « pédant » que de celui d'« ignorant ».
2. C'est-à-dire à la sottise naturelle.

CLITANDRE

Le savoir dans un fat* devient impertinent.

TRISSOTIN

1305 Il faut que l'ignorance ait pour vous de grands charmes*,
Puisque pour elle ainsi vous prenez tant les armes.

CLITANDRE

Si pour moi l'ignorance a des charmes* bien grands,
C'est depuis qu'à mes yeux s'offrent certains savants.

TRISSOTIN

Ces certains savants-là, peuvent à les connaître,
1310 Valoir certaines gens que nous voyons paraître.

CLITANDRE

Oui, si l'on s'en rapporte à ces certains savants ;
Mais on n'en convient pas chez ces certaines gens.

PHILAMINTE

Il me semble, Monsieur…

CLITANDRE

            Eh, Madame, de grâce.
Monsieur est assez fort sans qu'à son aide on passe :
1315 Je n'ai déjà que trop d'un si rude assaillant ;
Et si je me défends, ce n'est qu'en reculant.

ARMANDE

Mais l'offensante aigreur de chaque repartie
Dont vous…

CLITANDRE

          Autre second [1], je quitte la partie.

PHILAMINTE

On souffre aux entretiens ces sortes de combats,

---

1. Personne qui vient en aide à une autre, ou la sert, en particulier au jeu ou dans un duel.

1320   Pourvu qu'à la personne on ne s'attaque pas [1].

CLITANDRE

Eh, mon Dieu, tout cela n'a rien dont il s'offense ;
Il entend* raillerie autant qu'homme de France [2] ;
Et de bien d'autres traits il s'est senti piquer,
Sans que jamais sa gloire ait fait que s'en moquer.

TRISSOTIN

1325   Je ne m'étonne pas au combat que j'essuie,
De voir prendre à Monsieur la thèse qu'il appuie.
Il est fort enfoncé [3] dans la Cour, c'est tout dit :
La Cour, comme l'on sait, ne tient pas pour [4] l'esprit,
Elle a quelque intérêt d'appuyer l'ignorance,
1330   Et c'est en courtisan qu'il en prend la défense.

CLITANDRE

Vous en voulez beaucoup à cette pauvre Cour,
Et son malheur est grand, de voir que chaque jour
Vous autres beaux esprits, vous déclamiez contre elle [5] ;
Que de tous vos chagrins* vous lui fassiez querelle ;
1335   Et sur son méchant* goût lui faisant son procès,
N'accusiez que lui seul de vos méchants* succès.
Permettez-moi, Monsieur Trissotin, de vous dire,
Avec tout le respect que votre nom m'inspire,
Que vous feriez fort bien, vos confrères, et vous,

---

1. Philaminte fait ici allusion aux règles de l'honnête satire, qui doit en rester à un niveau général sans viser directement une personne. Sur l'actualité de cette question, voir Présentation, p. 33-34.

2. Voir la note du v. 942. Le propos est ironique à l'égard de Cotin, connu pour sa susceptibilité et ses ripostes violentes aux attaques de ses confrères. Voir Présentation, p. 34.

3. Introduit.

4. N'est pas favorable à, n'est pas du côté de.

5. Sur la distinction, dans les années 1660 et au début des années 1670, entre les valeurs du « bel esprit » et les idées de la cour, voir Présentation, p. 16. La haine de la Cour pour l'érudition pédante faisait aussi l'objet d'un discours de Dorante dans *La Critique de l'École des femmes* (1663, scène 6).

1340 De parler de la Cour d'un ton un peu plus doux ;
     Qu'à le bien prendre au fond, elle n'est pas si bête
     Que vous autres Messieurs vous vous mettez en tête ;
     Qu'elle a du sens commun pour se connaître à tout ;
     Que chez elle on se peut former quelque bon goût ;
1345 Et que l'esprit du monde [1] y vaut, sans flatterie,
     Tout le savoir obscur de la pédanterie.

                         TRISSOTIN
De son bon goût, Monsieur, nous voyons des effets.

                         CLITANDRE
Où voyez-vous, Monsieur, qu'elle l'ait si mauvais ?

                         TRISSOTIN
Ce que je vois, Monsieur, c'est que pour la science
1350 Rasius et Baldus [2] font honneur à la France,
     Et que tout leur mérite exposé fort au jour,
     N'attire point les yeux et les dons de la Cour.

                         CLITANDRE
Je vois votre chagrin*, et que par modestie
Vous ne vous mettez point, Monsieur, de la partie [3] :
1355 Et pour ne vous point mettre aussi dans le propos,
     Que font-ils pour l'État vos habiles héros ?
     Qu'est-ce que leurs écrits lui rendent de service,
     Pour accuser la Cour d'une horrible injustice,
     Et se plaindre en tous lieux que sur leurs doctes noms
1360 Elle manque à verser la faveur de ses dons ?
     Leur savoir à la France est beaucoup nécessaire,
     Et des livres qu'ils font la Cour a bien affaire.
     Il semble à trois gredins, dans leur petit cerveau,

---

1. L'esprit que l'on acquiert par la fréquentation du monde.

2. Ces noms de « savants en -*us* » (voir la note 5, p. 42) n'ont probablement pas de référent réel.

3. Allusion aux refus essuyés par certains écrivains pour des demandes de patronage. Cotin, comme d'autres dont Gilles Ménage, avait été retiré de la liste des gratifications royales en 1667.

Que, pour être imprimés, et reliés en veau [1],
1365 Les voilà dans l'État d'importantes personnes ;
Qu'avec leur plume ils font les destins des couronnes ;
Qu'au moindre petit bruit de leurs productions,
Ils doivent voir chez eux voler les pensions ;
Que sur eux l'univers a la vue attachée ;
1370 Que partout de leur nom la gloire est épanchée,
Et qu'en science ils sont des prodiges fameux,
Pour savoir ce qu'ont dit les autres avant eux,
Pour avoir eu trente ans des yeux et des oreilles,
Pour avoir employé neuf ou dix mille veilles
1375 À se bien barbouiller [2] de grec et de latin,
Et se charger l'esprit d'un ténébreux [3] butin
De tous les vieux fatras qui traînent dans les livres ;
Gens qui de leur savoir paraissent toujours ivres [4] ;
Riches pour tout mérite, en babil importun [5],
1380 Inhabiles à tout, vides de sens commun,
Et pleins d'un ridicule, et d'une impertinence [6]
À décrier [7] partout l'esprit et la science.

PHILAMINTE

Votre chaleur est grande, et cet emportement
De la nature en vous marque le mouvement.
1385 C'est le nom de rival qui dans votre âme excite...

---

1. Contrairement à la reliure en maroquin, la reliure en peau de veau était courante. La précision marque ici le fait que ces auteurs n'ont rien d'exceptionnel.
2. Se peindre grossièrement de latin et de grec, c'est-à-dire apprendre sans compréhension ni finesse.
3. Obscur, difficile à comprendre.
4. Cette description présente des similitudes avec le début de la *Satire* IV (1666) de Boileau, qui décrit un « pédant enivré de sa vaine science ».
5. Si le singulier de l'adjectif ne s'explique pas par la seule volonté d'assurer la rime, il faut comprendre ici « riches en babil importun, et c'est là leur seul mérite ».
6. Ici, sottise.
7. À faire décrier, à discréditer.

Scène 4

JULIEN, TRISSOTIN, PHILAMINTE,
CLITANDRE, ARMANDE.

JULIEN

Le savant qui tantôt vous a rendu visite,
Et de qui j'ai l'honneur de me voir le valet,
Madame, vous exhorte à lire ce billet.

PHILAMINTE

Quelque important que soit ce qu'on veut que je lise,
1390 Apprenez, mon ami, que c'est une sottise
De se venir jeter au travers d'un discours,
Et qu'aux gens [1] d'un logis il faut avoir recours,
Afin de s'introduire en valet qui sait vivre.

JULIEN

Je noterai cela, Madame, dans mon livre.

PHILAMINTE *lit.*

Trissotin s'est vanté, Madame, qu'il épouserait [2] votre fille. Je vous donne avis que sa philosophie n'en veut qu'à vos richesses, et que vous ferez bien de ne point conclure ce mariage, que vous n'ayez vu le poème que je compose contre lui. En attendant cette peinture où je prétends vous le dépeindre de toutes ses couleurs, je vous envoie Horace, Virgile, Térence et Catulle, où vous verrez notés en marge tous les endroits qu'il a pillés [3].

PHILAMINTE *poursuit.*

1395 Voilà sur cet hymen que je me suis promis

---

1. Au personnel.
2. S'est fait fort d'épouser.
3. L'accusation avait été adressée par Boileau à Ménage : « Dans vos poésies latines, on [...] reconnaît Catulle, Tibulle, Properce, Ovide, Virgile et tous les autres » (*Avis à Monsieur Ménage...*, *op. cit.*, p. 14).

Un mérite attaqué de beaucoup d'ennemis ;
Et ce déchaînement aujourd'hui me convie,
À faire une action qui confonde [1] l'envie ;
Qui lui fasse sentir que l'effort* qu'elle fait,
1400 De ce qu'elle veut rompre, aura pressé l'effet [2].
Reportez tout cela sur l'heure à votre maître ;
Et lui dites, qu'afin de lui faire connaître
Quel grand état je fais de ses nobles avis,
Et comme je les crois dignes d'être suivis,
1405 Dès ce soir à Monsieur je marierai ma fille.
Vous, Monsieur [3], comme ami de toute la famille,
À signer leur contrat vous pourrez assister,
Et je vous y veux bien de ma part inviter.
Armande, prenez soin d'envoyer au notaire [4],
1410 Et d'aller avertir votre sœur de l'affaire.

ARMANDE

Pour avertir ma sœur, il n'en est pas besoin,
Et Monsieur que voilà saura prendre le soin
De courir lui porter bientôt cette nouvelle,
Et disposer son cœur à vous être rebelle.

PHILAMINTE

1415 Nous verrons qui sur elle aura plus de pouvoir,
Et si je la saurai réduire à son devoir.

Elle s'en va.

ARMANDE

J'ai grand regret, Monsieur, de voir qu'à vos visées
Les choses ne soient pas tout à fait disposées.

CLITANDRE

Je m'en vais travailler, Madame, avec ardeur,
1420 À ne vous point laisser ce grand regret au cœur.

---

1. Qui réduise au silence.
2. La réalisation.
3. Philaminte s'adresse ici à Clitandre.
4. De chercher le notaire.

ARMANDE

J'ai peur que votre effort* n'ait pas trop bonne issue.

CLITANDRE

Peut-être verrez-vous votre crainte déçue [1].

ARMANDE

Je le souhaite ainsi.

CLITANDRE

J'en suis persuadé,
Et que de votre appui je serai secondé.

ARMANDE

1425 Oui, je vais vous servir de toute ma puissance.

CLITANDRE

Et ce service est sûr de ma reconnaissance.

Scène 5

CHRYSALE, ARISTE, HENRIETTE, CLITANDRE.

CLITANDRE

Sans votre appui, Monsieur, je serai malheureux.
Madame votre femme a rejeté mes vœux,
Et son cœur prévenu [2] veut Trissotin pour gendre.

CHRYSALE

1430 Mais quelle fantaisie a-t-elle donc pu prendre ?
Pourquoi diantre vouloir ce Monsieur Trissotin ?

ARISTE

C'est par l'honneur qu'il a de rimer à [3] latin,
Qu'il a sur son rival emporté l'avantage.

---

1. Trompée.
2. Qui a des préjugés.
3. Avec. « Trissotin » rime en effet avec « latin ».

CLITANDRE

Elle veut dès ce soir faire ce mariage.

CHRYSALE

1435 Dès ce soir ?

CLITANDRE

Dès ce soir.

CHRYSALE

Et dès ce soir je veux,
Pour la contrecarrer, vous marier vous deux.

CLITANDRE

Pour dresser le contrat, elle envoie au notaire.

CHRYSALE

Et je vais le quérir pour celui qu'il doit faire.

CLITANDRE

Et Madame doit être instruite par sa sœur,
1440 De l'hymen où l'on veut qu'elle apprête son cœur.

CHRYSALE

Et moi, je lui commande, avec pleine puissance [1],
De préparer sa main à cette autre alliance.
Ah je leur ferai voir, si pour donner la loi,
Il est dans ma maison d'autre maître que moi.
1445 Nous allons revenir, songez [2] à nous attendre.
Allons, suivez mes pas, mon frère, et vous mon gendre.

HENRIETTE

Hélas ! Dans cette humeur* conservez-le toujours.

ARISTE

J'emploierai toute chose à servir vos amours.

CLITANDRE

Quelque secours puissant qu'on promette à ma flamme,

---

1. Voir la note du v. 1097.
2. Veillez bien.

1450 Mon plus solide espoir, c'est votre cœur, Madame.

HENRIETTE

Pour mon cœur vous pouvez vous assurer de lui.

CLITANDRE

Je ne puis qu'être heureux, quand j'aurai son appui.

HENRIETTE

Vous voyez à quels nœuds on prétend le contraindre.

CLITANDRE

Tant qu'il sera pour moi je ne vois rien à craindre.

HENRIETTE

1455 Je vais tout essayer pour nos vœux les plus doux ;
Et si tous mes efforts* ne me donnent à vous,
Il est une retraite où notre âme se donne,
Qui m'empêchera d'être à toute autre personne [1].

CLITANDRE

Veuille le juste ciel me garder en ce jour
1460 De recevoir de vous cette preuve d'amour.

Fin du quatrième acte.

---

1. Allusion au couvent.

ACTE V

Scène première

HENRIETTE, TRISSOTIN.

HENRIETTE

C'est sur le mariage où ma mère s'apprête,
Que j'ai voulu, Monsieur, vous parler tête à tête ;
Et j'ai cru, dans le trouble où je vois la maison,
Que je pourrais vous faire écouter la raison.
1465 Je sais qu'avec mes vœux vous me jugez capable
De vous porter en dot un bien considérable :
Mais l'argent dont on voit tant de gens faire cas,
Pour un vrai philosophe a d'indignes appas ;
Et le mépris du bien [1] et des grandeurs frivoles,
1470 Ne doit point éclater* dans vos seules paroles.

TRISSOTIN

Aussi n'est-ce point là ce qui me charme* en vous ;
Et vos brillants attraits, vos yeux perçants et doux,
Votre grâce et votre air sont les biens, les richesses,
Qui vous ont attiré mes vœux et mes tendresses ;
1475 C'est de ces seuls trésors que je suis amoureux.

---

1. Cotin avait composé un poème intitulé « Mépris des richesses »
(*Œuvres galantes*, 1663).

HENRIETTE

Je suis fort redevable à vos feux généreux ;
Cet obligeant amour a de quoi me confondre,
Et j'ai regret, Monsieur, de n'y pouvoir répondre.
Je vous estime autant qu'on saurait estimer,
480   Mais je trouve un obstacle à vous pouvoir aimer[1].
Un cœur, vous le savez, à deux ne saurait être[2],
Et je sens que du mien Clitandre s'est fait maître.
Je sais qu'il a bien moins de mérite que vous,
Que j'ai de méchants* yeux pour le choix d'un époux,
485   Que par cent beaux talents vous devriez me plaire.
Je vois bien que j'ai tort, mais je n'y puis que faire ;
Et tout ce que sur moi peut le raisonnement,
C'est de me vouloir mal[3] d'un tel aveuglement[4].

TRISSOTIN

Le don de votre main où l'on me fait prétendre,
490   Me livrera ce cœur que possède Clitandre ;
Et par mille doux soins, j'ai lieu de présumer,
Que je pourrai trouver l'art de me faire aimer.

HENRIETTE

Non, à ses premiers vœux mon âme est attachée,
Et ne peut de vos soins, Monsieur, être touchée.
495   Avec vous librement j'ose ici m'expliquer,
Et mon aveu n'a rien qui vous doive choquer.
Cette amoureuse ardeur qui dans les cœurs s'excite[5],

---

1. La distinction entre l'estime et l'amour est importante dans la casuistique galante (voir, par exemple, la « Carte de Tendre » publiée dans la *Clélie* de Madeleine et Georges de Scudéry en 1654).
2. Maxime d'amour.
3. M'en vouloir.
4. Les propos d'Henriette développent un motif topique dans toute la littérature galante des années 1650-1670 : « la raison ne peut rien sur l'amour » (*Maximes d'amour*, C. Barbin, 1666). Les thèmes de l'aveuglement en matière d'amour et de la puissance de l'amour d'inclination en sont des corollaires.
5. S'éveille.

N'est point, comme l'on sait, un effet du mérite ;
Le caprice [1] y prend part, et quand quelqu'un nous plaît,
1500 Souvent nous avons peine à dire pourquoi c'est.
Si l'on aimait, Monsieur, par choix et par sagesse,
Vous auriez tout mon cœur et toute ma tendresse ;
Mais on voit que l'amour se gouverne autrement.
Laissez-moi je vous prie à mon aveuglement,
1505 Et ne vous servez point de cette violence
Que pour vous on veut faire à mon obéissance.
Quand on est honnête homme, on ne veut rien devoir
À ce que des parents ont sur nous de pouvoir.
On répugne à se faire immoler ce qu'on aime,
1510 Et l'on veut n'obtenir un cœur que de lui-même [2].
Ne poussez point ma mère à vouloir par son choix,
Exercer sur mes vœux la rigueur de ses droits.
Ôtez-moi votre amour, et portez à quelque autre
Les hommages d'un cœur aussi cher que le vôtre.

TRISSOTIN

1515 Le moyen que ce cœur puisse vous contenter* ?
Imposez-lui des lois qu'il puisse exécuter.
De ne vous point aimer peut-il être capable,
À moins que vous cessiez, Madame, d'être aimable*,
Et d'étaler aux yeux les célestes appas…

HENRIETTE

1520 Eh Monsieur, laissons là ce galimatias.
Vous avez tant d'Iris, de Philis, d'Amarantes [3],
Que partout dans vos vers vous peignez si charmantes*,
Et pour qui vous jurez tant d'amoureuse ardeur…

TRISSOTIN

C'est mon esprit qui parle, et ce n'est pas mon cœur.

---

1. Hasard.
2. Maxime d'amour.
3. Noms conventionnels de la poésie amoureuse, qui figurent aussi à de nombreuses reprises dans les différentes *Œuvres galantes* de Cotin.

1525 D'elles on ne me voit amoureux qu'en poète[1] ;
Mais j'aime tout de bon l'adorable* Henriette.

HENRIETTE

Eh de grâce, Monsieur...

TRISSOTIN

Si c'est vous offenser,
Mon offense envers vous n'est pas prête à cesser.
Cette ardeur, jusqu'ici de vos yeux ignorée,
1530 Vous consacre des vœux d'éternelle durée.
Rien n'en peut arrêter les aimables* transports ;
Et bien que vos beautés condamnent mes efforts*,
Je ne puis refuser le secours d'une mère
Qui prétend couronner une flamme si chère ;
1535 Et pourvu que j'obtienne un bonheur si charmant*,
Pourvu que je vous aie, il n'importe comment.

HENRIETTE

Mais savez-vous qu'on risque un peu plus qu'on ne pense,
À vouloir sur un cœur user de violence.
Qu'il ne fait pas bien sûr, à vous le trancher net[2],
1540 D'épouser une fille en dépit qu'elle en ait[3] ;
Et qu'elle peut aller en se voyant contraindre,
À des ressentiments que le mari doit craindre.

TRISSOTIN

Un tel discours n'a rien dont je sois altéré[4].
À tous événements le sage est préparé.

_____

1. Dans la dédicace de ses madrigaux et épigrammes recueillie dans ses *Œuvres galantes*, Cotin écrit : « Ne faites point d'application aux dames que nous connaissons quand vous lirez ce que j'ai fait pour Iris et pour Amaranthe : ce sont, Monsieur, des noms de roman. *Ce n'est pas une vérité/ Ce n'est rien qu'une belle fable* » (Paris, E. Loyson, 1663, p. 316).
2. Pour vous le dire franchement.
3. Contre sa volonté.
4. Affecté.

1545   Guéri par la raison des faiblesses vulgaires*,
Il se met au-dessus de ces sortes d'affaires,
Et n'a garde de prendre aucune ombre d'ennui*,
De tout ce qui n'est pas pour dépendre de lui [1].

HENRIETTE

En vérité, Monsieur, je suis de vous ravie ;
1550   Et je ne pensais pas que la philosophie
Fût si belle qu'elle est, d'instruire ainsi les gens
À porter constamment [2] de pareils accidents [3].
Cette fermeté d'âme à vous si singulière,
Mérite qu'on lui donne une illustre matière ;
1555   Est digne de trouver qui [4] prenne avec amour,
Les soins continuels de la mettre en son jour [5] ;
Et comme à dire vrai, je n'oserais me croire
Bien propre à lui donner tout l'éclat* de sa gloire,
Je le laisse [6] à quelque autre, et vous jure entre nous,
1560   Que je renonce au bien de vous voir mon époux.

TRISSOTIN

Nous allons voir bientôt comment ira l'affaire ;
Et l'on a là-dedans fait venir le notaire.

---

1. Faire la part, pour parvenir à la sagesse et au bonheur entre ce qui dépend de soi et ce qui n'en dépend pas est une attitude stoïcienne. C'est aussi ce que préconise la morale cartésienne (« Pour les choses qui ne dépendent aucunement de nous, tant bonnes qu'elles puissent être, on ne les doit jamais désirer avec passion », *Les Passions de l'âme*, art. 145). Voir Dossier, p. 174 *sq.*

2. Avec constance. Cette notion est centrale dans la philosophie stoïcienne. L'ouvrage *De la constance* (1584) de Juste Lipse est emblématique de la renaissance du stoïcisme à la fin du XVIe siècle.

3. Événements qui arrivent. Allusion à l'infidélité de l'épouse, dont Henriette menaçait implicitement Trissotin aux vers précédents.

4. Quelqu'un qui.

5. Mettre en évidence.

6. Je cède la place.

Scène 2

CHRYSALE, CLITANDRE, MARTINE, HENRIETTE.

CHRYSALE

Ah, ma fille, je suis bien aise de vous voir.
Allons, venez-vous-en faire votre devoir,
1565 Et soumettre vos vœux aux volontés d'un père.
Je veux, je veux apprendre à vivre à votre mère ;
Et pour la mieux braver, voilà, malgré ses dents [1],
Martine que j'amène, et rétablis céans*.

HENRIETTE

Vos résolutions sont dignes de louange.
1570 Gardez que cette humeur*, mon père, ne vous change [2].
Soyez ferme à vouloir ce que vous souhaitez,
Et ne vous laissez point séduire à [3] vos bontés.
Ne vous relâchez pas, et faites bien en sorte
D'empêcher que sur vous ma mère ne l'emporte.

CHRYSALE

1575 Comment ? Me prenez-vous ici pour un benêt ?

HENRIETTE

M'en préserve le Ciel.

CHRYSALE

Suis-je un fat*, s'il vous plaît ?

HENRIETTE

Je ne dis pas cela.

CHRYSALE

Me croit-on incapable
Des fermes sentiments d'un homme raisonnable ?

---

1. Contre sa volonté.
2. Comprendre : « Prenez garde à ce que cette disposition d'esprit ne vous quitte pas. »
3. Détourner par.

HENRIETTE

Non, mon père.

CHRYSALE

Est-ce donc qu'à l'âge où je me vois,
1580 Je n'aurais pas l'esprit d'être maître chez moi ?

HENRIETTE

Si fait.

CHRYSALE

Et que j'aurais cette faiblesse d'âme,
De me laisser mener par le nez à [1] ma femme ?

HENRIETTE

Eh non, mon père.

CHRYSALE

Ouais. Qu'est-ce donc que ceci ?
Je vous trouve plaisante à me parler ainsi.

HENRIETTE

1585 Si je vous ai choqué, ce n'est pas mon envie.

CHRYSALE

Ma volonté céans* doit être en tout suivie.

HENRIETTE

Fort bien, mon père.

CHRYSALE

Aucun, hors moi, dans la maison,
N'a droit de commander.

HENRIETTE

Oui, vous avez raison.

CHRYSALE

C'est moi qui tiens le rang de chef de la famille.

---

1. Par.

HENRIETTE

1590 D'accord.

CHRYSALE

C'est moi qui dois disposer de ma fille.

HENRIETTE

Eh oui.

CHRYSALE

Le ciel me donne un plein pouvoir sur vous.

HENRIETTE

Qui vous dit le contraire ?

CHRYSALE

Et pour prendre un époux,
Je vous ferai bien voir que c'est à votre père
Qu'il vous faut obéir, non pas à votre mère.

HENRIETTE

1595 Hélas ! Vous flattez là les plus doux de mes vœux ;
Veuillez être obéi, c'est tout ce que je veux.

CHRYSALE

Nous verrons si ma femme à mes désirs rebelle...

CLITANDRE

La voici qui conduit le notaire avec elle.

CHRYSALE

Secondez-moi bien tous.

MARTINE

Laissez-moi, j'aurai soin
1600 De vous encourager, s'il en est de besoin [1].

---

1. Expression vieillie.

Scène 3

PHILAMINTE, BÉLISE, ARMANDE, TRISSOTIN,
LE NOTAIRE, CHRYSALE, CLITANDRE,
HENRIETTE, MARTINE.

PHILAMINTE
Vous ne sauriez changer votre style sauvage*,
Et nous faire un contrat qui soit en beau langage [1] ?

LE NOTAIRE
Notre style [2] est très bon, et je serais un sot,
Madame, de vouloir y changer un seul mot.

BÉLISE
1605 Ah ! Quelle barbarie au milieu de la France !
Mais au moins en faveur, Monsieur, de la science,
Veuillez au lieu d'écus, de livres et de francs,
Nous exprimer la dot en mines et talents,
Et dater par les mots d'ides et de calendes [3].

LE NOTAIRE
1610 Moi ? Si j'allais, Madame, accorder vos demandes,
Je me ferais siffler de tous mes compagnons [4].

PHILAMINTE
De cette barbarie en vain nous nous plaignons.
Allons, Monsieur, prenez la table pour écrire.

---

1. Le « beau langage » est celui qui suit la norme du « bon usage » tel que l'avait établi en particulier Vaugelas. Voir la note du v. 462.
2. Quiproquo : dans la bouche d'un notaire, le « style » désigne la manière de procéder en justice.
3. Les mines et les talents sont des unités monétaires de la Grèce antique. Les ides et les calendes sont des repères du calendrier romain. La plaisanterie figurait déjà dans *Le Barbon* (1648) de Guez de Balzac.
4. Allusion à la Préface des *Remarques* de Vaugelas : « Le plus habile notaire à Paris se rendrait ridicule et perdrait toute sa pratique, s'il se mettait dans l'esprit de changer son style et ses phrases pour prendre celles de nos meilleurs écrivains. »

Ah, ah ! Cette impudente ose encor se produire* ?
1615 Pourquoi donc, s'il vous plaît, la ramener chez moi ?

MARTINE [1]

Tantôt avec loisir on vous dira pourquoi.
Nous avons maintenant autre chose à conclure.

LE NOTAIRE

Procédons au contrat. Où donc est la future ?

PHILAMINTE

Celle que je marie est la cadette.

LE NOTAIRE

Bon.

CHRYSALE

1620 Oui. La voilà, Monsieur, Henriette est son nom.

LE NOTAIRE

Fort bien. Et le futur ?

PHILAMINTE

L'époux que je lui donne

Est Monsieur.

CHRYSALE

Et celui, moi, qu'en propre personne,

Je prétends qu'elle épouse, est Monsieur.

LE NOTAIRE

Deux époux !

C'est trop pour la coutume [2].

---

1. Les éditions modernes corrigent systématiquement l'édition originale en attribuant, sans doute à juste titre, cette réplique à Chrysale et non à Martine. Le doute reste toutefois permis, au regard des deux vers précédents et des v. 1599-1600.

2. Ensemble des principes du droit coutumier qui régit encore au XVIIe siècle les affaires matrimoniales.

PHILAMINTE

Où vous arrêtez-vous ?
1625 Mettez, mettez, Monsieur, Trissotin pour mon gendre.

CHRYSALE

Pour mon gendre mettez, mettez, Monsieur, Clitandre.

LE NOTAIRE

Mettez-vous donc d'accord et d'un jugement mûr
Voyez à convenir entre vous du futur ?

PHILAMINTE

Suivez, suivez, Monsieur, le choix où je m'arrête.

CHRYSALE

1630 Faites, faites, Monsieur, les choses à ma tête[1].

LE NOTAIRE

Dites-moi donc à qui j'obéirai des deux ?

PHILAMINTE

Quoi donc, vous combattrez les choses que je veux ?

CHRYSALE

Je ne saurais souffrir qu'on ne cherche ma fille,
Que pour l'amour du bien qu'on voit dans ma famille.

PHILAMINTE

1635 Vraiment à votre bien on songe bien ici,
Et c'est là pour un sage, un fort digne souci !

CHRYSALE

Enfin pour son époux, j'ai fait choix de Clitandre.

PHILAMINTE

Et moi, pour son époux, voici qui je veux prendre :
Mon choix sera suivi, c'est un point résolu.

CHRYSALE

1640 Ouais. Vous le prenez là d'un ton bien absolu ?

------

1. Selon ma volonté.

MARTINE

Ce n'est point à la femme à prescrire, et je sommes
Pour céder le dessus en toute chose aux hommes.

CHRYSALE

C'est bien dit.

MARTINE

Mon congé cent fois me fût-il hoc [1],
La poule ne doit point chanter devant [2] le coq.

CHRYSALE

1645 Sans doute*.

MARTINE

Et nous voyons que d'un homme on se gausse,
Quand sa femme chez lui porte le haut-de-chausse [3].

CHRYSALE

Il est vrai.

MARTINE

Si j'avais un mari, je le dis,
Je voudrais qu'il se fît le maître du logis.
Je ne l'aimerais point, s'il faisait le jocrisse [4].
1650 Et si je contestais contre lui par caprice ;
Si je parlais trop haut, je trouverais fort bon,
Qu'avec quelques soufflets il rabaissât mon ton.

CHRYSALE

C'est parler comme il faut.

---

1. Assuré.
2. Avant. Sur l'expression par proverbes, voir la note du v. 420. Dans *Le Médecin malgré lui* (1667), la sagesse conjugale de la nourrice Jacqueline s'exprimait aussi par proverbes : « là où la chèvre est liée, il faut bian qu'alle y broute » (III, 3).
3. On dirait aujourd'hui « porte la culotte ».
4. « Manière d'homme sottement complaisant à sa femme » (Richelet). Terme familier.

MARTINE

Monsieur est raisonnable,
De vouloir pour sa fille un mari convenable.

CHRYSALE[1]

1655 Oui.

MARTINE

Par quelle raison, jeune, et bien fait qu'il est,
Lui refuser Clitandre ? Et pourquoi, s'il vous plaît,
Lui bailler[2] un savant, qui sans cesse épilogue ?
Il lui faut un mari, non pas un pédagogue :
Et ne voulant savoir le grais[3], ni le latin,
1660 Elle n'a pas besoin de Monsieur Trissotin.

CHRYSALE

Fort bien.

PHILAMINTE

Il faut souffrir qu'elle jase à son aise.

MARTINE

Les savants ne sont bons que pour prêcher en chaise[4] ;
Et pour mon mari, moi, mille fois je l'ai dit,
Je ne voudrais jamais prendre un homme d'esprit.
1665 L'esprit n'est point du tout ce qu'il faut en ménage ;
Les livres cadrent mal avec le mariage ;

---

1. L'attribution de cette réplique à Trissotin dans l'édition originale est selon toute vraisemblance erronée. Conformément, ici, aux éditions modernes, nous corrigeons.

2. Voir la note du v. 425.

3. La prononciation de « grec » sans le *c* final est perçue comme ancienne au XVIIe siècle. La graphie indique en outre que Martine assimile l'apprentissage du grec à l'art de tailler le « grais » (grès), selon une plaisanterie déjà attestée chez plusieurs auteurs comiques avant Molière. Ce dernier malentendu n'étant pas audible par les spectateurs, la réplique devait s'accompagner d'un geste pour souligner le contresens.

4. Emploi archaïque du terme, que Vaugelas préconise de remplacer par « chaire ».

Et je veux, si jamais on engage ma foi,
Un mari qui n'ait point d'autre livre que moi ;
Qui ne sache A, ne [1] B, n'en déplaise à Madame,
1670 Et ne soit en un mot docteur que pour sa femme.

PHILAMINTE

Est-ce fait ? Et sans trouble ai-je assez écouté
Votre digne interprète ?

CHRYSALE

Elle a dit vérité.

PHILAMINTE

Et moi, pour trancher court toute cette dispute,
Il faut qu'absolument mon désir s'exécute.
1675 Henriette, et Monsieur, seront joints [2] de ce pas ;
Je l'ai dit, je le veux, ne me répliquez pas :
Et si votre parole à Clitandre est donnée,
Offrez-lui le parti d'épouser son aînée.

CHRYSALE

Voilà dans cette affaire un accommodement.
1680 Voyez ? Y donnez-vous votre consentement ?

HENRIETTE

Eh mon père !

CLITANDRE

Eh Monsieur !

BÉLISE

On pourrait bien lui faire
Des propositions qui pourraient mieux lui plaire :
Mais nous établissons une espèce d'amour
Qui doit être épuré comme l'astre du jour ;
1685 La substance qui pense, y peut être reçue,

---

1. Ni. Archaïsme également condamné par Vaugelas.
2. Mariés.

Mais nous en bannissons la substance étendue [1].

Scène dernière [scène 4]

ARISTE, CHRYSALE, PHILAMINTE, BÉLISE,
HENRIETTE, ARMANDE, TRISSOTIN,
LE NOTAIRE, CLITANDRE, MARTINE.

ARISTE

J'ai regret de troubler un mystère [2] joyeux,
Par le chagrin* qu'il faut que j'apporte en ces lieux.
Ces deux lettres me font porteur de deux nouvelles,
1690 Dont j'ai senti pour vous les atteintes cruelles :
L'une pour vous, me vient de votre procureur [3] ;
L'autre pour vous, me vient de Lyon.

PHILAMINTE

Quel malheur,
Digne de nous troubler, pourrait-on nous écrire ?

ARISTE

Cette lettre en contient un que vous pouvez lire.

PHILAMINTE

Madame, j'ai prié Monsieur votre frère de vous rendre [4]
cette lettre, qui vous dira ce que je n'ai osé vous aller dire.
La grande négligence que vous avez pour vos affaires, a été
cause que le clerc de votre rapporteur ne m'a point averti [5],

---

1. La distinction ancienne entre substance pensante (âme ou esprit) et substance étendue (corps) avait été développée par Descartes dans ses *Méditations métaphysiques* (1641) et ses *Principes de la philosophie* (1644). Comme aux vers 880-882, le propos de Bélise se prête à une double lecture.

2. Ici, moment de grâce.

3. Officier qui plaide une cause en justice pour un particulier.

4. Remettre.

5. Rapporteur : « juge ou conseiller qui est chargé du rapport d'un procès » (Furetière). Le procureur ne s'est pas rendu au procès, Phila-

et vous avez perdu absolument[1] *votre procès que vous*
deviez gagner.

CHRYSALE

1695 Votre procès perdu !

PHILAMINTE

Vous vous troublez beaucoup !
Mon cœur n'est point du tout ébranlé de ce coup.
Faites, faites paraître une âme moins commune
À braver[2] comme moi les traits de la fortune.
Le peu de soin que vous avez vous coûte quarante mille
écus, et c'est à payer cette somme, avec les dépens[3], *que*
vous êtes condamnée par arrêt de la Cour.
Condamnée ! Ah ce mot est choquant, et n'est fait
1700 Que pour les criminels.

ARISTE

Il a tort en effet,
Et vous vous êtes là justement récriée.
Il devait avoir mis que vous êtes priée,
Par arrêt de la Cour, de payer au plus tôt
Quarante mille écus, et les dépens qu'il faut.

PHILAMINTE

Voyons l'autre.

CHRYSALE *lit.*

Monsieur, l'amitié qui me lie à Monsieur votre frère, me
fait prendre intérêt à tout ce qui vous touche. Je sais que
vous avez mis votre bien entre les mains d'Argante et de
Damon[4], *et je vous donne avis qu'en même jour ils ont fait*
tous deux banqueroute.
1705 Ô ciel ! Tout à la fois perdre ainsi tout mon bien !

---

minte n'ayant pas demandé au rapporteur de le faire prévenir (ou ayant
omis de payer le rapporteur pour le prévenir).

1. Sans recours possible.
2. En bravant.
3. Frais engagés pour le procès.
4. Chrysale a donc, quant à lui, « placé » son argent.

PHILAMINTE

Ah quel honteux transport ! Fi, tout cela n'est rien :
Il n'est pour le vrai sage aucun revers funeste,
Et perdant toute chose, à soi-même il se reste [1].
Achevons notre affaire, et quittez votre ennui* ;
1710 Son [2] bien nous peut suffire et pour nous, et pour lui.

TRISSOTIN

Non, Madame, cessez de presser cette affaire.
Je vois qu'à cet hymen tout le monde est contraire,
Et mon dessein n'est point de contraindre les gens.

PHILAMINTE

Cette réflexion vous vient en peu de temps !
1715 Elle suit de bien près, Monsieur, notre disgrâce [3].

TRISSOTIN

De tant de résistance à la fin je me lasse.
J'aime mieux renoncer à tout cet embarras [4],
Et ne veux point d'un cœur qui ne se donne pas [5].

PHILAMINTE

Je vois, je vois de vous, non pas pour votre gloire,
1720 Ce que jusques ici j'ai refusé de croire.

TRISSOTIN

Vous pouvez voir de moi tout ce que vous voudrez,
Et je regarde peu comment vous le prendrez :
Mais je ne suis point homme à souffrir l'infamie
Des refus offensants qu'il faut qu'ici j'essuie ;

---

1. Précepte de la morale stoïcienne.
2. Philaminte se réfère ici à Trissotin.
3. Revers de fortune.
4. « Se dit aussi figurément des chagrins, des inquiétudes de l'âme »
(Furetière).
5. L'argument fait écho à l'une des maximes qu'Henriette avait fait
valoir plus tôt pour dissuader Trissotin de son projet de mariage
(v. 1510).

1725 Je vaux bien que de moi l'on fasse plus de cas,
Et je baise les mains [1] à qui ne me veut pas.

PHILAMINTE

Qu'il a bien découvert son âme mercenaire !
Et que peu philosophe est ce qu'il vient de faire !

CLITANDRE

Je ne me vante point de l'être, mais enfin
1730 Je m'attache, Madame, à tout votre destin ;
Et j'ose vous offrir, avecque ma personne,
Ce qu'on sait que de bien la Fortune me donne.

PHILAMINTE

Vous me charmez*, Monsieur, par ce trait généreux,
Et je veux couronner vos désirs amoureux.
1735 Oui, j'accorde Henriette à l'ardeur empressée...

HENRIETTE

Non, ma mère, je change à présent de pensée.
Souffrez que je résiste à votre volonté.

CLITANDRE

Quoi, vous vous opposez à ma félicité ?
Et lorsqu'à mon amour je vois chacun se rendre...

HENRIETTE

1740 Je sais le peu de bien que vous avez, Clitandre,
Et je vous ai toujours souhaité pour époux,
Lorsqu'en satisfaisant à mes vœux les plus doux,
J'ai vu que mon hymen ajustait [2] vos affaires :
Mais lorsque nous avons les destins si contraires,
1745 Je vous chéris assez dans cette extrémité,
Pour ne vous charger point de notre aversité [3].

---

1. Formule d'adieu (sans violence ni impolitesse).
2. Arrangeait.
3. Adversité.

CLITANDRE

Tout destin avec vous me peut être agréable ;
Tout destin me serait sans vous insupportable.

HENRIETTE

L'amour dans son transport parle toujours ainsi.
1750 Des retours [1] importuns évitons le souci.
Rien n'use tant l'ardeur de ce nœud qui nous lie,
Que les fâcheux besoins des choses de la vie ;
Et l'on en vient souvent à s'accuser tous deux,
De tous les noirs chagrins* qui suivent de tels feux.

ARISTE

1755 N'est-ce que le motif que nous venons d'entendre,
Qui vous fait résister à l'hymen de Clitandre ?

HENRIETTE

Sans cela, vous verriez tout mon cœur y courir ;
Et je ne fuis sa main, que pour le trop chérir.

ARISTE

Laissez-vous donc lier par des chaînes si belles.
1760 Je ne vous ai porté que de fausses nouvelles ;
Et c'est un stratagème, un surprenant secours,
Que j'ai voulu tenter pour servir vos amours ;
Pour détromper ma sœur [2], et lui faire connaître
Ce que son philosophe à l'essai [3] pouvait être.

CHRYSALE

1765 Le ciel en soit loué.

PHILAMINTE

       J'en ai la joie au cœur,
Par le chagrin* qu'aura ce lâche déserteur.
Voilà le châtiment de sa basse avarice,
De voir qu'avec éclat* cet hymen s'accomplisse.

---

1. Revirements.
2. Ici, pour belle-sœur. Voir la note 3, p. 75.
3. À l'épreuve.

CHRYSALE

Je le savais bien, moi, que vous l'épouseriez.

ARMANDE

1770 Ainsi donc à leurs vœux vous me sacrifiez ?

PHILAMINTE

Ce ne sera point vous que je leur sacrifie [1],
Et vous avez l'appui de la philosophie,
Pour voir d'un œil content* couronner leur ardeur.

BÉLISE

Qu'il prenne garde au moins que je suis dans son cœur.
1775 Par un prompt désespoir souvent on se marie,
Qu'on s'en repent après tout le temps de sa vie.

CHRYSALE

Allons, Monsieur, suivez l'ordre que j'ai prescrit,
Et faites le contrat ainsi que je l'ai dit.

Fin

---

1. On peut comprendre ici que Philaminte pense à Trissotin, seul sacrifié dans cette alliance, ou à Henriette, définitivement perdue pour la cause de l'esprit. Plus vraisemblablement, il s'agit là d'une ultime allusion plaisante aux thèses stoïciennes et cartésiennes : si le « moi » humain est assimilable à l'âme raisonnable ou à une substance pensante, alors l'être véritable d'Armande ne sera pas affecté par ce renoncement au mariage (voir les notes des v. 48 et 540).

DOSSIER

Les réactions des premiers spectateurs et lecteurs des *Femmes savantes*, ou de ceux qui entendirent parler de la pièce au moment de sa création, permettent de comprendre ce qui, dans cette comédie, retint l'attention des contemporains de Molière. Il est frappant de constater que le comportement des femmes savantes elles-mêmes ne constitua qu'un des éléments qui suscitèrent le rire et l'intérêt de ce premier public. L'application du personnage de Trissotin à l'abbé Cotin, le caractère du mari faible et les « nouvelles manières de parler », notamment, semblent avoir marqué les esprits.

MME DE SÉVIGNÉ,
lettre à Mme de Grignan, 9 mars 1672

Nous tâchons d'amuser notre cardinal [de Retz]. Corneille lui a lu une comédie qui sera jouée dans quelque temps, et qui fait souvenir des anciennes. Molière lui lira samedi *Tricotin*, qui est une fort plaisante pièce. Despréaux lui donnera son *Lutrin* et sa *Poétique* : voilà tout ce qu'on peut faire pour son service [2].

---

1. Les extraits reproduits ici sont issus du site *Naissance de la critique dramatique*, dir. L. Michel et C. Bourqui, avec C. Piot, C. Schuwey, T. Alonge et M. Souchier, disponible sur : www.ncd17.ch.

2. C. de Bussy-Rabutin, marquise de Sévigné, *Correspondance*, éd. R. Duchêne, Gallimard, « Bibliothèque de la Pléiade », t. I, 1985, p. 452.

JEAN DONNEAU DE VISÉ,
Le Mercure galant, 12 mars 1672

Jamais dans une seule année l'on ne vit tant de belles pièces de théâtre et le fameux Molière ne nous a point trompés dans l'espérance qu'il nous avait donnée il y a tantôt quatre ans, de faire représenter au Palais-Royal une pièce comique de sa façon qui fût tout à fait achevée. On y est bien diverti tantôt par ces précieuses, ou femmes savantes, tantôt par les agréables railleries d'une certaine Henriette, et puis par les ridicules imaginations d'une visionnaire qui se veut persuader que tout le monde est amoureux d'elle. Je ne parle point du caractère d'un père, qui veut faire croire qu'il est le maître dans sa maison, qui se fait fort de tout quand il est seul, et qui cède tout dès que sa femme paraît. Je ne dis rien aussi du personnage de Trissotin qui tout rempli de son savoir, et tout glorifié de la gloire qu'il croit avoir méritée, paraît si plein de constance de lui-même, qu'il voit tout le genre humain fort au-dessous de lui. Le ridicule entêtement qu'une mère que la lecture a gâtée fait voir pour ce Monsieur Trissotin, n'est pas moins plaisant ; et cet entêtement aussi fort que celui du père dans *Tartuffe*, durerait toujours, si par un artifice ingénieux de la fausse nouvelle d'un procès perdu, et d'une banqueroute (qui n'est pas d'une moins belle invention que l'exempt dans *L'Imposteur*[1]), un frère qui quoique bien jeune[2], paraît l'homme du monde du meilleur sens, ne le venait faire cesser, en faisant le dénouement de la pièce. Il y a au troisième acte une querelle entre Monsieur Trissotin, et un autre savant, qui divertit beaucoup ; et il y a au dernier, un retour d'une certaine Martine servante de cuisine, qui avait été chassée au premier, qui fait extrêmement rire l'assemblée par un nombre infini de jolies choses qu'elle dit en son patois, pour prouver que les hommes doivent avoir la préséance sur les femmes. Voilà confusément ce qu'il y a

1. *Le Tartuffe ou l'Imposteur* est le nom sous lequel *Tartuffe*, interdit en 1664, a été repris et publié en 1669.
2. Cette remarque conforte l'hypothèse qu'Ariste était joué par le jeune Baron.

de plus considérable dans cette comédie qui attire tout Paris. Il y a partout mille traits pleins d'esprit, beaucoup de manières de parler nouvelles et hardies, dont l'invention ne peut être assez louée et qui ne peuvent être imitées. Bien des gens font des applications de cette comédie ; et une querelle de l'auteur il y a environ huit ans avec un homme de lettres, qu'on prétend être représenté par Monsieur Trissotin, a donné lieu à ce qui s'en est publié ; mais Monsieur de Molière s'est suffisamment justifié de cela par une harangue qu'il fit au public deux jours avant la première représentation de sa pièce : et puis ce prétendu original de cette agréable comédie, ne doit pas s'en mettre en peine s'il est aussi sage et aussi habile homme que l'on dit, et cela ne servira qu'à faire éclater davantage son mérite, en faisant naître l'envie de le connaître, de lire ses écrits et d'aller à ses sermons. Aristophane ne détruisit point la réputation de Socrate, en le jouant dans une de ses farces [1], et ce grand philosophe n'en fut pas moins estimé dans toute la Grèce : mais pour bien juger du mérite de la comédie dont je viens de parler, je conseillerais à tout le monde de la voir, et de s'y divertir sans examiner autre chose, et sans s'arrêter à la critique de la plupart des gens, qui croient qu'il est d'un bel esprit de trouver à redire.

À Paris, le 12 mars [2].

CHRISTIAN HUYGENS, lettre à son frère Ludovic Huygens, 1er avril 1672

Il n'y eut jamais de comédie de Molière de ce nom que vous me mandez. Sa dernière a été *Les Femmes savantes*, ou *Triçotin* comme on la nommait auparavant la représentation.

---

1. *Les Nuées* (Ve siècle av. J.-C.).
2. J. Donneau de Visé, « Discours sur une Comédie de Monsieur de Molière, intitulée *Les Femmes Savantes* », *Le Mercure galant*, Claude Barbin et Théodore Girard, t. I, janvier-avril 1672, p. 207-215 ; texte disponible en ligne sur la base OBVIL « Mercure galant » (dir. A. Piéjus).

On l'a trouvée fort plaisante, mais un peu trop savante.
Adieu [1].

GAZETTE d'AMSTERDAM, 15 décembre 1672

On vend ici chez Pierre Promé, marchand libraire sur le
quai des Grands Augustins, à la Charité comme aussi au
Palais, *Le Trissotin ou les Femmes savantes* du sieur
de Molière et une autre comédie du sieur Poisson, toute rem-
plie de figures et la plus plaisante que l'on ait encore vue de
sa façon [2].

ROGER DE BUSSY-RABUTIN, correspondance avec le père René RAPIN, 13 février-11 avril 1673

LETTRE XII. DU PÈRE RAPIN AU COMTE DE BUSSY.

À Paris, ce 13 février 1673.

Vous donnez un grand éloge à Mademoiselle de Bussy, en
disant qu'elle sait, sans en faire de façon. C'est la plus grande
louange qu'on puisse donner à une personne de son sexe et
de sa qualité. Il serait bon qu'elle vît *Les Femmes savantes*
de Molière, pour la confirmer dans ce caractère. Mandez-
moi si vous ne les avez pas vues, car je les lui enverrai. Il y
a dans cette comédie des caractères rares, et d'une grande
instruction pour une jeune personne ; car le ridicule des
femmes qui font vanité de ce qu'elles savent, y est bien
exprimé.

---

1. Lettre de Christian Huygens à Ludovic Huygens du 1er avril 1672,
in *Œuvres complètes*, t. VII, La Haye, M. Nijhoff, 1897, p. 161.
2. *Gazette d'Amsterdam*, Amsterdam, Cornelis Jansz Zwol,
15 décembre 1672.

LETTRE XIII.
RÉPONSE DU COMTE DE BUSSY AU R.P. RAPIN.

À Chaseu, ce 14 février 1673.

Nous n'avons point vu *Les Femmes savantes* de Molière. Mais à propos de lui, le voilà mort en un moment[1]. J'en suis fâché. De nos jours nous ne verrons personne prendre sa place ; et peut-être le siècle suivant, n'en viendra-t-il pas un de sa façon.

LETTRE XXVI. DU R.P. R[APIN] AU COMTE DE BUSSY.

À Paris, ce 15 mars 1673.

Je vous envoie, Monsieur, les *Femmes savantes* de Molière. Vous y trouverez des caractères qui vous plairont, et des choses fort naturelles. La querelle des deux auteurs, le caractère du mari qui est gouverné et qui veut paraître le maître, ont quelque chose d'admirable, aussi bien que le caractère des deux sœurs. Le ridicule des femmes savantes n'est pas tout à fait poussé à bout ; il y a d'autres ridicules plus naturels dans ces femmes, que Molière a laissés échapper, et ce n'est pas le plus beau. Néanmoins à tout prendre, vous serez content : je ne laisse pas de vous en demander votre avis.

J'envoie à Mademoiselle de Bussy un livre de dévotion de ma façon, pour l'opposer aux *Femmes savantes*. Ayez la bonté de lui offrir de ma part.

LETTRE XXVII.
RÉPONSE DU COMTE DE BUSSY AU R.P. R[APIN].

À Chaseu, ce 18 mars 1673.

Je vous rends mille grâces, mon R.P. des livres que vous m'avez envoyés […].

---

1. Molière est mort quelques heures seulement après la fin de la quatrième représentation du *Malade imaginaire*, le 17 février 1673. La datation originale de cette lettre de Bussy est donc erronée. L'édition de 1731 corrige en « 28 février 1673 ».

Pour la comédie des *Femmes savantes*, je l'ai trouvée un des plus beaux ouvrages de Molière. La première scène des deux sœurs est plaisante et naturelle : celle de Trissotin et des savantes, le dialogue de Trissotin et de Vadius, le caractère de ce mari qui n'a pas de force de résister en face aux volontés de sa femme, et qui fait le méchant quand il ne la voit pas ; le personnage d'Ariste homme de bon sens et plein d'une droite raison, tout cela est incomparable. Cependant, comme vous remarquez fort bien, il y avait d'autres ridicules à donner à ces savantes, plus naturels que ceux que Molière leur a donnés. Le personnage de Bélise est une faible copie d'une des femmes de la comédie des *Visionnaires*[1]. Il y en a d'assez folles pour croire que tout le monde est amoureux d'elles, mais il n'y en a point qui entreprennent de le persuader à quelqu'un malgré lui.

Le caractère de Philaminte avec Martine, n'est pas naturel. Il n'est pas vraisemblable qu'une femme fasse tant de bruit, et enfin chasse sa servante, parce qu'elle ne parle pas bien français ; et il l'est encore moins que cette servante, après avoir dit mille méchants mots, comme elle doit dire, en dise de forts bons et d'extraordinaires, comme quand Martine dit :

> L'esprit n'est point du tout ce qu'il faut en ménage ;
> Les livres cadrent mal avec le mariage[2].

Il n'y a pas de jugement à faire dire le mot de *cadrer* par une servante qui parle fort mal, quoiqu'elle puisse avoir du bon sens. Mais enfin, pour parler juste de cette comédie, les beautés y sont grandes et sans nombre, et les défauts rares et petits[3].

---

1. Dans cette pièce de Desmarets de Saint-Sorlin, publiée en 1637, le personnage d'Hespérie « croit que tout le monde l'aime ». Voir Présentation, p. 30.

2. V, 3, v. 1665-1666.

3. *Les Lettres de Messire Roger de Rabutin, comte de Bussy [...] avec les réponses*, Paris, F. et P. Delaulne, t. IV, 1702, p. 21-38.

PIERRE BAYLE,
lettre à son frère Jacob Bayle, 31 juillet 1673

[Molière] avait donné l'hiver de l'année passé[e], *Les Femmes savantes* pièce aussi achevée qu'on en vit jamais, où on croit avec beaucoup d'apparence qu'il a tourné en ridicule l'abbé Cotin, ce qui même a fait quelque bruit. On vit aussi ce même hiver pour le grand ballet du Roi, une tragédie-ballet, intitulée *Psyché*, dont la conduite et la disposition est toute due à Molière, quoique dans la versification il ait été fort aidé par Mr Corneille le jeune, et par Mr Quinault. J'ai lu ces deux pièces avec beaucoup de plaisir, et ne saurais bien dire laquelle m'a plu davantage [1].

---

1. P. Bayle, lettre 37, in *Correspondance de Pierre Bayle*, éd. E. Labrousse, E. James, A. McKenna *et al.*, Oxford, Voltaire Foundation, t. I, 1999, p. 222.

— *Femmes savantes, femmes pédantes dans la littérature galante du XVIIe siècle*

La littérature galante des années 1650-1660 accorde une place centrale à la question de l'érudition des femmes et à la manière dont elles peuvent ou doivent montrer leurs connaissances. Le roman *Artamène ou le Grand Cyrus* (1649-1653) de Madeleine et Georges de Scudéry, qui eut une influence considérable sur les auteurs du temps, met en valeur le modèle de la femme cultivée, mais prône une réserve de bon aloi. Dans sa version comique, qu'illustre *L'Académie des femmes* (1661) de Samuel Chapuzeau, le motif surgit dans la défense ridicule, par les hommes, de l'ignorance des femmes, et dans la revanche que celles-ci cherchent à prendre sur leurs époux qui les assignent aux tâches domestiques.

MADELEINE ET GEORGES DE SCUDÉRY, *ARTAMÈNE OU LE GRAND CYRUS* (1649-1653)

Sapho, dont l'immense savoir ne se montre qu'à propos, est opposée à la pédante Damophile.

> Je pense, madame, que vous vous souvenez bien que je vous ai dit qu'encore que Sapho sache presque tout ce qu'on peut savoir, elle ne fait pourtant point la savante et que sa conversation est naturelle, galante et commode. Mais, pour celle de cette dame, qui s'appelle Damophile, il n'en est pas de même, quoiqu'elle ait prétendu imiter Sapho.

[...] Damophile ne disait que de grands mots qu'elle pro-
nonçait d'un ton grave et impérieux, quoiqu'elle ne dît que de
petites choses et Sapho, au contraire, ne se servait que de
paroles ordinaires pour en dire d'admirables. Au reste, Damophile ne croyant pas que le savoir pût compatir avec les affaires
de sa famille, ne se mêlait d'aucuns soins domestiques ; mais,
pour Sapho, elle se donnait la peine de s'informer de tout ce
qui était nécessaire pour savoir commander à propos jusqu'aux moindres choses. De plus, Damophile, non seulement
parle en style de livre, mais elle parle même toujours de livres
et ne fait non plus de difficulté de citer les auteurs les plus
inconnus en une conversation ordinaire que si elle enseignait
publiquement dans quelque académie célèbre.

[...] Ce qui rend encore Damophile fort ennuyeuse est
qu'elle cherche même, avec un soin étrange, à faire connaître
tout ce qu'elle sait, ou tout ce qu'elle croit savoir, dès la première fois qu'on la voit. Et il y a enfin tant de choses
fâcheuses, incommodes et désagréables en Damophile qu'on
peut assurer que, comme il n'y a rien de plus aimable, ni de
plus charmant qu'une femme qui s'est donné la peine
d'orner son esprit de mille agréables connaissances quand
elle en sait bien user, il n'y a rien aussi de si ridicule, ni de si
ennuyeux, qu'une femme sottement savante [1].

Le personnage de Sapho établit une distinction entre
les femmes éclairées, qui savent faire preuve de jugement,
et les « femmes savantes ».

– En mon particulier, reprit Phylire, je lui serais fort obli-
gée si elle me voulait dire précisément ce qu'une femme doit
savoir. – Il serait sans doute assez difficile, répliqua Sapho,
de donner une règle générale de ce que vous demandez, car
il y a une si grande diversité dans les esprits qu'il ne peut y
avoir de loi universelle qui ne soit injuste. Mais ce que je
pose pour fondement est qu'encore que je voulusse que les
femmes sussent plus de choses qu'elles n'en savent pour

1. M. et G. de Scudéry, *Artamène ou le Grand Cyrus* [1649-1653],
« Histoire de Sapho », partie X, livre II, éd. C. Bourqui et A. Gefen,
GF-Flammarion, 2005, p. 463-465.

l'ordinaire, je ne veux pourtant jamais qu'elles agissent ni qu'elles parlent en savantes. Je veux donc bien qu'on puisse dire d'une personne de mon sexe qu'elle sait cent choses dont elle ne se vante pas, qu'elle a l'esprit fort éclairé, qu'elle connaît finement les beaux ouvrages, qu'elle parle bien, qu'elle écrit juste et qu'elle sait le monde, mais je ne veux pas qu'on puisse dire d'elle : « C'est une femme savante », car ces deux caractères sont si différents qu'ils ne se ressemblent point. Ce n'est pas que celle qu'on n'appellera point savante ne puisse savoir autant et plus de choses que celle à qui on donnera ce terrible nom, mais c'est qu'elle se sait mieux servir de son esprit et qu'elle sait cacher adroitement ce que l'autre montre mal à propos.

– Ce que vous dites est si bien démêlé, reprit Nicanor, qu'il est aisé de comprendre cette différence. – Mais, à ce que je vois, dit alors Phylire, il y a donc des choses, ou qu'il ne faut pas savoir ou qu'il ne faut pas montrer quand on les sait. – Il est constamment vrai, répliqua Sapho, qu'il y a certaines sciences que les femmes ne doivent jamais apprendre et qu'il y en a d'autres qu'elles peuvent savoir, mais qu'elles ne doivent pourtant jamais avouer qu'elles sachent, quoiqu'elles puissent souffrir qu'on le devine.

– Mais à quoi leur sert de savoir ce qu'elles n'oseraient montrer, reprit Phylire ? – Il leur sert, répliqua Sapho, à entendre ce que de plus savants qu'elles disent et à en parler même à propos sans en parler pourtant comme les livres en parlent, mais seulement comme si le simple sens naturel leur faisait comprendre les choses dont il s'agit. Joint qu'il y a mille agréables connaissances dont il n'est pas nécessaire de faire un si grand secret : en effet, on peut savoir quelques langues étrangères, on peut avouer qu'on a lu Homère, Hésiode et les excellents ouvrages de l'illustre Aristhée [1] sans faire trop la savante, on peut même en dire son avis d'une

---

1. Nom très répandu dans l'Antiquité grecque, Aristhée ne désigne pourtant aucun écrivain réel, contrairement à Homère et à Hésiode. Il s'agit sans doute d'une dénomination de convention, représentative de l'auteur mondain moderne en général, ou peut-être, recouvrant de manière cryptée un individu précis. [Note de C. Bourqui et A. Gefen.]

manière si modeste et si peu affirmative que, sans choquer la bienséance de son sexe, on ne laisse pas de faire voir qu'on a de l'esprit, de la connaissance et du jugement [1].

SAMUEL CHAPUZEAU, *L'ACADÉMIE DES FEMMES* (1661)

Dans l'extrait suivant, le pédant Hortense, éconduit par la savante Émilie, éclate en imprécations contre les femmes. En plus du patronage des dialogues comiques d'Érasme que revendique la pièce, cette tirade s'inscrit dans une longue tradition comique, italienne en particulier, qui attribue aux personnages de pédants des positions outrageusement misogynes. Ce type d'humour, qui s'amuse des préjugés sur les sexes, connaît une vogue immense dans les milieux galants des années 1660, au sein desquels les femmes jouent un rôle prépondérant.

HORTENSE, *seul*.
J'avais un beau dessein de devenir bigame !
J'aurais pris un cerbère, et non pas une femme,
Elle aurait à toute heure ergoté contre moi.
Et de belle hauteur m'aurait donné la loi,
Ah Dieu ! qu'allais-je faire ? et si cette âme vaine
M'eût pris enfin au mot, quelle eût été ma peine !
Dieu me garde d'avoir jamais dans mon donjon,
Une femme qui lit Descartes, Casaubon [2] !
J'aime mieux lui souffrir et des dés, et des cartes.
J'aime mieux en aller prendre une chez les Parthes [3].
Lorsque ce sexe croit en savoir plus que nous,

---

1. M. et G. de Scudéry, *Artamène ou le Grand Cyrus*, « Histoire de Sapho », partie X, livre II, *op. cit.*, p. 502-504.

2. Helléniste, penseur protestant et traducteur très fameux en son temps (1559-1614). Dans le second XVIIe siècle, il incarne le modèle d'une érudition universelle à l'ancienne.

3. Les Parthes, peuple de la Perse antique, incarnaient aux yeux des Romains l'image même des guerriers barbares et redoutables.

De notre autorité d'abord il est jaloux.
Une femme qui lit, et qui lit Campanelle [1] !
Que c'est un beau moyen de gâter sa cervelle !
Et que tandis qu'elle a cette démangeaison,
Un mari passe bien son temps à la maison !
Quand sur tous ces auteurs son faible esprit travaille,
Que des valets en bas ont beau faire gogaille [2],
Et qu'on a souvent tort d'imputer au cerceau,
Que le vin va trop vite, et s'enfuit du tonneau.
Une bonne quenouille en la main d'une femme
Lui sied bien, et la met à couvert de tout blâme,
Son ménage florit, la règle va partout,
Et de ses serviteurs, elle vient mieux à bout.
Mais un livre, bon Dieu ! qu'en prétend-elle faire ?
Ne voudrait-elle point encore monter en chaire,
Et lasse à la maison de nous questionner,
Nous venir en public derechef sermonner ?
Si nous n'y donnons ordre, après cette équipée,
Bientôt avec un livre elle prendra l'épée :
Non, non, résolument, jamais femme qui lit,
Quand j'en devrais mourir, n'entrera dans mon lit [3].

Émilie et les trois amies avec lesquelles elle forme son académie militent, dans un esprit de revanche, pour l'équilibre, voire le renversement, des rôles dans la société entre hommes et femmes.

ÉMILIE

Donc, que tout autre soin à présent nous possède,
Faisons sortir pour nous, ainsi que du tombeau,
De nos quatre éléments un monde tout nouveau,
De nos quatre saisons une meilleure année,
Et pour tout notre sexe une autre destinée.
Aux hommes pleins d'orgueil il est par trop soumis,

---

1. Tommaso Campanella (1568-1639), philosophe italien, auteur d'une importante œuvre politique.
2. Faire bonne chère.
3. S. Chapuzeau, *L'Académie des femmes*, I, 5, Paris, A. Courbé, 1661, p. 13-14.

Nous n'oserions rien faire, et tout leur est permis !
Pour notre unique emploi, pour tout notre partage,
N'aurons-nous donc jamais que les soins du ménage ?
Et sans faire valoir notre capacité,
Auront-ils dans l'état toute l'autorité ?
Oui, leur laissant la guerre, et les faits héroïques,
Nous pourrions bien remplir les charges pacifiques,
Et tandis qu'ils iraient assurer les dehors,
Gouverner du dedans les tranquilles ressorts.
Ils ont pour s'établir sénats, académies,
Cours, diètes, conseils ; nous seules endormies,
Nous seules sur le point de nous voir accabler,
Ne songeons point qu'il est temps de nous assembler.

AMINTE

Plus que temps.

ÉMILIE

Nous avons dans un dessein si juste
L'appui d'un fameux prince, et d'une tête auguste,
D'un Héliogabale[1], et l'histoire fait foi,
Qu'en faveur de sa mère il en fit une loi.

AMINTE

Ah ! que si nous pouvions dompter ces maîtres hommes,
Les réduire à leur tour à l'état où nous sommes,
Les régir une fois, et prendre le dessus,
Qu'ils seraient étonnés, qu'ils deviendraient confus.
Mais nous n'avons contre eux, et contre leurs caprices,
Que notre complaisance, et que nos artifices.
Nous déclarons en vain la guerre à ces démons,
Qui se moquent de nous, et de tous nos sermons,
Et qui de leur fierté ne voulant rien rabattre,
Peuvent du moindre effort aisément nous abattre.

ÉMILIE

C'est une tyrannie, il faut la secouer,
Et tout le sexe enfin doit nous en avouer[2].

---

1. Empereur romain (IIIe siècle apr. J.-C.), qui laissa le gouvernement
à sa grand-mère et à sa mère.
2. Approuver. S. Chapuzeau, *L'Académie des femmes*, III, 3,
éd. citée, p. 38-40.

Les personnages des *Femmes savantes*, sensibles aux idées à la mode, font un usage caricatural de la philosophie de Descartes dans sa veine stoïcienne, qui prône le contrôle de l'esprit sur les passions. Selon Armande, la philosophie met l'homme au-dessus des revers de la vie (IV, 2, v. 1145-1147) ; Trissotin accepte avec une feinte résignation « tout ce qui n'est pas pour dépendre de lui » (V, 1, v. 1544-1548) ; Philaminte, à l'annonce de la ruine familiale, se targue de braver « les traits de la fortune » (V, 4, v. 1697-1698), affirme qu'« il n'est pour le vrai sage aucun revers funeste » (*ibid.*, v. 1706-1708) et fait valoir auprès d'Armande « l'appui de la philosophie » pour « voir d'un œil content » l'union des heureux amants (*ibid.*, v. 1772-1773). Ces principes forment un écho littéral avec certains textes de Descartes. Chrysale, dominé par ses passions, en constitue un contrepoint burlesque.

DISCOURS DE LA MÉTHODE : DE CE QUI DÉPEND DE NOUS ET DE CE QUI N'EN DÉPEND PAS

Dans la troisième partie du *Discours de la méthode* (1637), Descartes énonce les principes de sa « morale par provision ». La troisième maxime reprend la distinction stoïcienne entre ce qui dépend de nous et ce qui n'en dépend pas, et rappelle le pouvoir que nous pouvons avoir sur nos désirs et nos pensées.

Ma troisième maxime était de tâcher toujours plutôt à me vaincre que la fortune et à changer mes désirs que l'ordre du monde ; et généralement, de m'accoutumer à croire qu'il n'y a rien qui soit entièrement en notre pouvoir, que nos pensées, en sorte qu'après que nous avons fait notre mieux, touchant les choses qui nous sont extérieures, tout ce qui manque de nous réussir est, au regard de nous, absolument impossible. Et ceci seul me semblait être suffisant pour m'empêcher de rien désirer à l'avenir que je n'acquisse, et ainsi pour me rendre content. Car notre volonté ne se portant naturellement à désirer que les choses que notre entendement lui représente en quelque façon comme possibles, il est certain que si nous considérons tous les biens qui sont hors de nous comme également éloignés de notre pouvoir, nous n'aurons pas plus de regrets de manquer de ceux qui semblent être dus à notre naissance, lorsque nous en serons privés sans notre faute, que nous avons de ne posséder pas les royaumes de la Chine ou du Mexique ; et que, faisant, comme on dit, de nécessité vertu, nous ne désirerons pas davantage d'être sains, étant malades, ou d'être libres, étant en prison, que nous faisons maintenant d'avoir des corps d'une matière aussi peu corruptible que les diamants, ou des ailes pour voler comme les oiseaux. Mais j'avoue qu'il est besoin d'un long exercice, et d'une méditation souvent réitérée, pour s'accoutumer à regarder de ce biais toutes les choses ; et je crois que c'est principalement en ceci que consistait le secret de ces philosophes, qui ont pu autrefois se soustraire de la fortune et, malgré les douleurs et la pauvreté, disputer de la félicité avec leurs dieux. Car, s'occupant sans cesse à considérer les bornes qui leur étaient prescrites par la nature, ils se persuadaient si parfaitement que rien n'était en leur pouvoir que leurs pensées, que cela seul était suffisant pour les empêcher d'avoir aucune affection pour d'autres choses ; et ils disposaient d'elles si absolument, qu'ils avaient en cela quelque raison de s'estimer plus riches, et plus puissants, et plus libres, et plus heureux qu'aucun des autres hommes qui, n'ayant point cette philosophie, tant favorisés de la nature et de la fortune qu'ils puissent être, ne disposent jamais ainsi de tout ce qu'ils veulent [1].

---

1. Descartes, *Discours de la méthode* [1637], troisième partie, éd. L. Renault, GF-Flammarion, 2000 ; rééd. 2016, p. 58-59.

À partir d'une première certitude – « Je pense donc je suis » –, Descartes déduit, dans la quatrième partie de son *Discours*, l'idée de la séparation radicale entre l'âme, ou substance pensante, et le corps.

> Puis, examinant avec attention ce que j'étais, et voyant que je pouvais feindre que je n'avais aucun corps, et qu'il n'y avait aucun monde, ni aucun lieu où je fusse ; mais que je ne pouvais pas feindre, pour cela, que je n'étais point ; et qu'au contraire, de cela même que je pensais à douter de la vérité des autres choses, il suivait très évidemment et très certainement que j'étais ; au lieu que, si j'eusse seulement cessé de penser, encore que tout le reste de ce que j'avais imaginé eût été vrai, je n'avais aucune raison de croire que j'eusse été : je connus de là que j'étais une substance dont toute l'essence ou la nature n'est que de penser, et qui, pour être, n'a besoin d'aucun lieu, ni ne dépend d'aucune chose matérielle. En sorte que ce moi, c'est-à-dire l'âme par laquelle je suis ce que je suis, est entièrement distincte du corps ; et même qu'elle est plus aisée à connaître que lui, et qu'encore qu'il ne fût point, elle ne laisserait pas d'être tout ce qu'elle est [1].

Lettre à la princesse Élisabeth : DE LA POURSUITE DU BONHEUR

Dans une lettre adressée à la princesse Élisabeth de Bohême, Descartes réfléchit, à partir du traité *De vita beata* [*De la vie heureuse*] du stoïcien Sénèque (Ier siècle apr. J.-C.), aux moyens de parvenir au bonheur. Il rappelle à cette occasion les principes de sa propre morale.

> Or il me semble qu'un chacun se peut rendre content de soi-même et sans rien attendre d'ailleurs, pourvu seulement qu'il observe trois choses, auxquelles se rapportent les trois

---

1. *Ibid.*, quatrième partie, p. 66-67.

règles de la morale, que j'ai mises dans le *Discours de la méthode*.

La première est, qu'il tâche toujours de se servir, le mieux qu'il lui est possible, de son esprit, pour connaître ce qu'il doit faire ou ne pas faire en toutes les occurrences de la vie.

La seconde, qu'il ait une ferme et constante résolution d'exécuter tout ce que la raison lui conseillera, sans que ses passions ou ses appétits l'en détournent ; et c'est la fermeté de cette résolution, que je crois devoir être prise pour la vertu [...].

La troisième, qu'il considère que, pendant qu'il se conduit ainsi, autant qu'il peut, selon la raison, tous les biens qu'il ne possède point sont aussi entièrement hors de son pouvoir les uns que les autres, et que, par ce moyen, il s'accoutume à ne les point désirer [...][1].

LES PASSIONS DE L'ÂME ET COMMENT LES MAÎTRISER

Dans son traité des *Passions de l'âme* (1649), Descartes s'emploie à montrer la manière dont l'âme, par le pouvoir de sa volonté, peut maîtriser ses passions.

Article 48
En quoi on connaît la force ou la faiblesse des âmes
et quel est le mal des plus faibles

Or, c'est par le succès de ces combats [entre l'âme et les esprits animaux, qui provoquent les actions du corps] que chacun peut connaître la force ou la faiblesse de son âme. Car ceux en qui naturellement la volonté peut le plus aisément vaincre les passions, et arrêter les mouvements du corps qui les accompagnent, ont sans doute les âmes les plus fortes. [...]

---

1. Descartes à Élisabeth, 4 août 1645, in *Correspondance avec Élisabeth*, éd. J.-M. Beyssade et M. Beyssade, GF-Flammarion, 1989 ; rééd. 2018, p. 111-112.

Article 50
Qu'il n'y a point d'âme si faible qu'elle ne puisse, étant bien conduite, acquérir un pouvoir absolu sur ses passions

[... C]eux même qui ont les plus faibles âmes pourraient acquérir un empire très absolu sur toutes leurs passions si on employait assez d'industrie à les dresser et à les conduire [1].

---

1. Descartes, *Les Passions de l'âme* [1649], éd. P. d'Arcy, GF-Flammarion, 1996, p. 130-133.

— *Le tournant « féministe »*
dans les mises en scène
des Femmes savantes

Pour les metteurs en scène de la fin du XXᵉ et du XXIᵉ siècle, monter *Les Femmes savantes* implique de se confronter à une question délicate : comment restituer le comique de la pièce, à une époque où les femmes grammairiennes, astronomes ou philosophes ne prêtent plus à rire [1] ? Comment faire sentir le ridicule du pédantisme ? Rares sont les mises en scène qui s'attachent à rendre le comique lié à ce comportement pédant. Beaucoup de propositions dramaturgiques actuelles l'atténuent, voire le gomment, en faisant d'Armande, de Philaminte et, dans une moindre mesure, de Bélise des combattantes de la cause féminine, tandis que les personnages masculins assument seuls une grande partie des ridicules.

Dans un décor de bois sombre, **la mise en scène de Jean-Paul Roussillon, créée à la Comédie-Française en avril 1978**, dessine une opposition nette entre l'élan heureux des femmes savantes vers la connaissance et les tristes préoccupations matérielles d'Henriette et de son père. Armande, féminine et gaie, portée par la passion de

---

1. Cette question a fait l'objet du travail d'Alexandra Monnier, *Les Femmes savantes de Molière dans les mises en scène du XXIᵉ siècle : féministes avant l'heure ou ridicules ?*, mémoire de maîtrise universitaire soutenu à la faculté des lettres de l'université de Lausanne en juin 2017. La présente section reprend, pour les mises en scène de Eine, Montegani, Marleau et Makeïeff, les propositions de ce travail.

l'étude, s'adresse avec une bienveillance mêlée de pitié à sa timide cadette, engoncée dans un chemisier strict. L'énergique Philaminte tente avec réalisme de secouer son époux en bonnet et robe de chambre. Le spectacle s'achève sur le rire de Bélise, en admiration devant un vaisseau volant attaché par des ballons.

Vingt ans plus tard, **la mise en scène de Simon Eine, créée dans les mêmes lieux le 25 mai 1998**, s'attache, à l'inverse, à distinguer la pratique joyeuse de la lecture, incarnée par Henriette (Françoise Gillard), et le comportement d'Armande (Sylvia Bergé/Isabelle Gardien) et de Philaminte (Claire Vernet), dont la rigidité confine à l'aveuglement. C'est aussi, mais d'une autre façon, faire des *Femmes savantes* une œuvre engagée en faveur de l'instruction des femmes. Ici, le comportement excessif n'est en effet que la contrepartie de la difficulté du combat, comme l'explique le metteur en scène :

> Je ne crois pas que Molière puisse être taxé d'avoir été contre ce mouvement d'émancipation des femmes sur le plan intellectuel. Je ne crois pas du tout cela. Évidemment, il y a une satire du monde précieux, des excès du monde précieux, mais sur le fond, je ne crois pas que Molière était un rétrograde par rapport aux précieuses. [...] Ce sont des femmes, par leurs excès, qui sont un peu ridicules, mais qui dans le fond sont très méritantes parce que ce sont les premières à s'être battues pour, justement, l'éducation de ces femmes et cette accession au savoir [1].

La pièce se déroule dans un salon aux tons clairs, meublé de livres et d'instruments astronomiques, et

---

1. S. Eine, entretien avec C. Cerf et J. Marguerite, in *Les Femmes savantes*, Éditions Montparnasse, « Comédie-Française », 1998 (DVD). Transcription par A. Monnier, ainsi que pour les entretiens cités de M. Montegani et M. Makeïeff.

ouvert en fond de scène sur un espace extérieur qu'illumine un ciel rayonnant. Eine resserre l'intrigue sur la cellule familiale, montrant d'emblée les gestes d'affection et les rires échangés entre les deux sœurs, la complicité entre Henriette et Chrysale (Alain Pralon), le désarroi de ce dernier, séduit et désarmé par sa sensuelle épouse, et le comportement égaré de Bélise (Catherine Samie), dans un âge avancé. Dès lors, l'intrigue s'apparente ici à une mise en danger de l'équilibre familial, menacé par l'ardeur de néophytes que manifestent Philaminte et Armande, et par les lubies de Bélise.

Béatrice Agenin, dans le spectacle créé au Théâtre 13, à Paris, en mars 2000, fait quant à elle de Philaminte (Éléonore Hirt) une mère austère émue par des images de conquête spatiale et rêvant d'un meilleur avenir pour ses filles :

> Je me suis sentie très proche de Philaminte qui s'efforce d'inculquer à ses filles le désir de s'instruire pour échapper à la seule condition d'épouse, persuadée qu'en abordant la science, elle touche du doigt un domaine fabuleusement riche. « J'ai cherché longtemps un biais de vous donner les belles connaissances », dit-elle à Henriette (Élise Pottier) [1].

Conséquemment, Agenin récuse la pertinence de toute lecture comique des personnages féminins :

> Elles sont plus excessives que ridicules, peut-être parce qu'elles n'ont pas encore le statut nécessaire pour juger de la valeur de ce qu'elles apprennent et de celle de leur interlocuteur. Elles n'ont après tout que Trissotin pour s'exercer aux belles lettres. [...] Leur plus grand plaisir consiste à faire salon, à échanger des idées, à privilégier l'amour de la poésie pour rêver à des lendemains qui chantent. En ce sens, elles se montrent particulièrement ouvertes, mobiles, actives. On

---

1. B. Agenin, entretien avec M. Charron, *Chronicart*, 20 janvier 2000.

ne s'ennuie guère dans cette maison, on invente, [...] on construit un planétarium, on s'enthousiasme pour tel poème et puis tel autre, les prétendants se bousculent [1]...

Dans ce spectacle, le comique est en réalité porté par le seul personnage de l'excentrique Bélise. Armande, incarnée par la metteure en scène elle-même, est accablée par le poids des contradictions liées à ce rêve d'émancipation. L'explication avec Clitandre (IV, 2) s'apparente à une pathétique scène de rupture. Sacrifiée sur l'autel de la science, Armande refuse, lors de la dernière scène, la main que lui tend sa mère et assiste, tête baissée, à l'union des heureux amants.

En 2010, Marie Montegani, au Théâtre 95, va encore plus loin dans l'interprétation militante :

La pièce réveille la militante que je suis. Et si elle dénonce, c'est vrai, de façon tout à fait virulente le pédantisme, elle met surtout en avant, et je veux mettre surtout en avant, la soif de savoir de ces femmes qui rêvent d'instruction pour toutes. Et si cette soif de savoir s'accompagne, c'est vrai, d'un certain excès, ces femmes ne sont pas sans me rappeler certaines figures qui ont marqué l'histoire du féminisme et dont je me suis inspirée pour ma réflexion : Olympe de Gouges, George Sand, Colette et bien d'autres encore, et qui ont toutes contribué à faire avancer le long combat pour la reconnaissance à la femme des mêmes droits et de la même dignité [2].

Montegani interpole par ailleurs dans la pièce de Molière des textes de féministes engagées. À la fin de l'acte I, Armande chuchote par exemple avec émotion un extrait du journal, rédigé en français, de l'artiste ukrainienne Pauline Orrel, morte en 1884 :

---

1. *Ibid.*
2. M. Montegani, conférence d'ouverture de la saison 2010 au Théâtre 95.

Me marier et avoir des enfants ? Mais chaque blanchis-
seuse peut en faire autant ! Qu'est-ce que je veux ? Oh ! Vous
le savez bien. Je veux la gloire et ce n'est pas ce pauvre journal qui me la donnera. Ce journal ne sera publié qu'après
ma mort, car j'y suis trop nue pour m'y montrer de mon
vivant. Et il ne serait que le complément d'une vie illustre.
Une vie illustre. Folie produite par l'isolement, des lectures
historiques et une imagination trop vive [1].

Des textes de Christine de Pizan et d'Olympe
de Gouges surgissent dans d'autres scènes. Les femmes
savantes mènent ici un combat pour le savoir, contre la
lâcheté de Chrysale (Pierre Poirot) et la violence de Trissotin, dont la dimension caricaturale est intensifiée.
Chrysale, transi de peur, ne maîtrise ni son débit ni sa
voix, tandis que Maxime Kerzanet campe un Trissotin
excessivement sombre et manipulateur. La scénographie
mêle objets et costumes d'époques différentes. Tout
semble ancrer le combat des femmes dans une histoire
longue, ainsi que l'explique la metteure en scène :

Je pars du costume contemporain sur lequel j'ajoute
fraises, jabots, dentelles, une façon de faire un pont entre le
XVIIe siècle et aujourd'hui et de montrer la modernité de
ce texte [2].

Comme dans la mise en scène de Béatrice Agenin, le
jeu crispé et douloureux de Mathilde Leclère (Armande)
souligne dès lors la souffrance de celle qui tente, malgré
les renoncements, de vivre en conformité avec ses
principes.

C'est encore le motif de l'émancipation qui sous-tend
Les Femmes savantes du Québécois Denis Marleau,

1. M. Bashkirtseff, dite Pauline Orrel, *Journal*, Paris, G. Charpentier,
1887 (posth.).
2. M. Montegani, entretien cité.

créées en 2012, à l'occasion des Fêtes nocturnes du château de Grignan, sous le patronage de Mme de Sévigné :

> Le château est quand même habité par le fantôme de Mme de Sévigné, qui était une femme savante contemporaine de Molière, qui a même écrit beaucoup sur Molière dans sa correspondance. On trouvait cela intéressant de jouer sur la nature intime du lieu, sur la mémoire intime de cette femme en résonance avec les femmes savantes, donc comme un lieu habité par une famille qui est le sujet de cette pièce aussi [1].

Dans un espace extérieur, sur le parvis du château (une projection en fond de scène figure ce même décor lors de la reprise du spectacle en salle), l'intrigue est transposée dans le contexte de la France des années 1950, à une période où certains changements dans les mœurs commencent à se faire sentir. Denis Marleau explique :

> Il y a un moment historique qui nous a beaucoup intéressés et qui est effectivement celui qui précède la « Révolution tranquille » au Québec, où les femmes ont joué un rôle important dans l'émancipation des familles canadiennes-françaises. Car dans cette société matriarcale, ce sont les mères qui veillaient à l'éducation des enfants [...]. Une telle mise en relation des *Femmes savantes* avec ces époques et ces univers fait que se trace un chemin plus intime avec l'œuvre et pour moi c'est la seule voie possible en tant que metteur en scène [2].

La mise en scène met en valeur la modernité des personnages féminins : dans un cadre tout estival, Henriette feuillette une revue sur le mariage, Philaminte s'intéresse à l'actualité scientifique, les lubies de Bélise relèvent

---

1. S. Jasmin (assistante à la mise en scène), propos transcrits par M. Maalouf, « Les Fêtes nocturnes à Grignan : *Les Femmes savantes* de Molière mises en scène par Denis Marleau », 29 juillet 2012.
2. D. Marleau, entretien avec A. Ruprecht, 5 avril 2012, *Capital Critics' Circle*.

d'une alcoolisation festive et Armande, à la fin de la pièce, arbore un élégant pantalon. Les personnages masculins portent seuls toute la charge comique. Trissotin, à mobylette, est d'une arrogance révoltante, tandis que Vadius, en vélo, affiche une tristesse et un sérieux qui détonent. Quant à Chrysale, il ne parvient pas à se faire obéir de ses domestiques, qui s'amusent par exemple à lui retirer le verre qu'ils feignent de lui servir, et se fait, littéralement, manipuler comme une marionnette par la servante Martine.

C'est à l'aune des dérives et des dangers d'une libération ambiguë des personnages féminins que **Macha Makeïeff** relit quant à elle Molière. *Trissotin ou les Femmes savantes*, créée en 2015 à La Criée, à Marseille, déplace la fable dans un appartement moderne, coloré et géométrique des années 1970 :

> Il y a quelque chose dans l'époque de la fin des années 1960, début des années 1970 : une réponse à l'époque baroque, c'est-à-dire qu'il y a vraiment un élan émancipateur des femmes un peu halluciné. Il y avait quelque chose d'une folie, d'un illimité aussi. Et dans la pièce de Molière, le désarroi vient du fait qu'ils sont devant l'illimité féminin [1].

> Parmi celles qui avaient vingt ans à l'époque, certaines ont réussi leur vie, d'autres ont sombré dans la folie, la solitude, le dégoût des hommes. Sous l'emprise du pédant Trissotin, risquant de détruire ses filles par idéologie, Philaminte déjà est menacée. Le chemin des femmes vers la liberté est pavé de pièges. À toutes les époques, y compris la nôtre [2].

Trissotin, en gourou manipulateur, profite des aspirations, de l'enthousiasme et de l'absence de lucidité de ces femmes nouvellement libérées, et exerce une véritable violence sur Henriette. Bélise, incarnée en travesti par le

---

1. M. Makeïeff, entretien avec S. De Ville, France Musique, 23 novembre 2015.
2. M. Makeïeff, entretien avec E. Bouchez, *Télérama*, mars 2015.

chanteur Thomas Morris, est burlesque et touchante à la fois dans ses accès d'affection et sa tristesse.

D'une façon générale, ces remises en jeu modernes des *Femmes savantes* attribuent à un désir légitime d'émancipation par la connaissance ce que les contemporains de Molière, dans un contexte où l'exercice du jugement fonde la véritable honnêteté de la relation au savoir, percevaient comme une adhésion non éclairée aux idées à la mode. Plus que les ridicules d'un rapport excessif à l'érudition, la veine « féministe » qui semble se dégager dans les mises en scène actuelles des *Femmes savantes* cherche à montrer la souffrance et les contradictions de personnages mus par le désir de connaissance. Si le comique s'en trouve atténué, la pièce révèle par là, aujourd'hui encore, sa capacité à se faire l'écho du présent de chaque époque.

CHRONOLOGIE

CHRONOLOGIE

	CONTEXTE POLITIQUE ET INTELLECTUEL	VIE ET ŒUVRES DE MOLIÈRE ET DE SA TROUPE[1]
1606	Naissance de Pierre Corneille à Rouen.	
1608	Naissance de Madeleine de Scudéry.	
1610	Avènement de Louis XIII. Début de la régence de Marie de Médicis (jusqu'en 1617).	
1618		Naissance de Madeleine Béjart.
1621		Mariage à l'église Saint-Eustache à Paris de Jean Poquelin et Marie Cressé, futurs parents de Jean-Baptiste.
1622		15 janvier : Naissance et baptême à l'église Saint-Eustache de Jean-Baptiste Poquelin.
1624	Richelieu devient le principal ministre d'État de Louis XIII.	
1629	Création à Paris de *Mélite*, première comédie de Corneille.	
1631		Jean Poquelin succède à son frère Nicolas à la charge de valet de chambre et tapissier du roi.
1635	Fondation de l'Académie française.	Jean-Baptiste entre au collège de Clermont (actuel Louis-le-Grand) à Paris.
1636	Naissance de Nicolas Boileau à Paris.	

1. Les dates indiquées ici pour les pièces sont celles de leur création.

1637	Descartes, *Discours de la méthode*. Corneille, *Le Cid*. Jean Desmarets de Saint-Sorlin, *Les Visionnaires*.	Jean-Baptiste prête serment en tant que futur successeur de la charge de tapissier de son père.
1638	Naissance du Dauphin, futur Louis XIV.	
1639	Naissance de Jean Racine.	
1640		Études de droit à Orléans.
1641	Édit royal levant officiellement l'infamie des comédiens.	
1641 ou 1642		Naissance d'Armande Béjart.
1642	Mort de Richelieu.	
1643	Mort de Louis XIII. Début de la régence d'Anne d'Autriche.	Jean-Baptiste renonce provisoirement à la charge de tapissier du roi de son père, au profit de son frère cadet. Il la reprendra en 1660. Fondation de l'Illustre Théâtre. Jean-Baptiste Poquelin en est l'un des signataires, avec les Béjart. Installation de la troupe au Jeu de paume des Métayers à Paris.
1644	Destruction par incendie du théâtre du Marais. Descartes, *Principia philosophiae* (*Principes de la philosophie*).	Première apparition du nom de Molière dans un contrat. La troupe est entretenue par Gaston d'Orléans.
1645		Faillite de l'Illustre Théâtre. Départ pour l'ouest et le sud de la France.

	CONTEXTE POLITIQUE ET INTELLECTUEL	VIE ET ŒUVRES DE MOLIÈRE ET DE SA TROUPE
1646	Création de *Don Japhet d'Arménie* de Scarron à l'Hôtel de Bourgogne, l'une des pièces qui, avec *Le Gouvernement de Sanche Pansa* de Guérin de Bouscal, seront les plus jouées par la troupe de Molière après son retour à Paris en 1658.	Madeleine Béjart et Molière rejoignent la troupe de Charles Dufresne, protégée par le duc d'Épernon, gouverneur de la Guyenne.
1647	Vaugelas, *Remarques sur la langue française*, et réponse de La Mothe Le Vayer.	
1648	Début de la Fronde. Guez de Balzac, *Le Barbon*.	
1649	Georges et Madeleine de Scudéry, *Artamène ou le Grand Cyrus* (jusqu'en 1653). Descartes, *Les Passions de l'âme*.	
1650	Mort de Descartes. Saint-Évremond, *La Comédie des académistes pour la réformation de la langue française*.	
1652		La troupe est protégée par le prince de Conti.
1653		*L'Étourdi* (Lyon).
1654	Fin de la Fronde. Paix des Pyrénées entre la France et l'Espagne. Benserade et Lully, *Ballet royal de la nuit*. Le jeune Louis XIV interprète notamment le Soleil levant. Cyrano de Bergerac, *Le Pédant joué*.	
1655	Mort de Gassendi à Paris.	

C H R O N O L O G I E

1656	*Dépit amoureux* (Béziers).
1657	Conti retire son patronage.
1658	Printemps : Séjour de la troupe à Grenoble et à Rouen. Rencontre avec Corneille. Octobre : Arrivée à Paris. La troupe devient Troupe de Monsieur (Philippe d'Orléans, frère du roi). Le roi l'autorise à jouer dans la salle du Petit-Bourbon, partagée avec les Comédiens-Italiens.
1659	Départ des Italiens. *Les Précieuses ridicules* (Petit-Bourbon).
1660	*Sganarelle ou le Cocu imaginaire* (Petit-Bourbon). Démolition de la salle du Petit-Bourbon. Attribution à la troupe de la salle du Palais-Royal. Mariage de Louis XIV et de Marie-Thérèse d'Autriche. Antoine Arnauld et Claude Lancelot, *Grammaire de Port-Royal*.
1661	*Don Garcie de Navarre.* *L'École des maris.* *Les Fâcheux.* Mort de Mazarin. Début du règne personnel de Louis XIV. Samuel Chapuzeau, *L'Académie des femmes*.
1662	Mariage de Molière avec Armande Béjart. Les Italiens reviennent. Ils partageront désormais le Palais-Royal avec la troupe de Molière. *L'École des femmes* (Palais-Royal). Premier séjour de la troupe à la Cour.

	CONTEXTE POLITIQUE ET INTELLECTUEL	VIE ET ŒUVRES DE MOLIÈRE ET DE SA TROUPE
1663	Charles Cotin, *Œuvres galantes* (nouvelle édition en 1665). Jean de La Forge, *Le Cercle des femmes savantes*.	*La Critique de l'École des femmes* (Palais-Royal). *L'Impromptu de Versailles* (Versailles).
1664	Louis de La Forge, *Traité de l'esprit de l'homme, de ses facultés, de ses fonctions et de son union avec le corps, d'après les principes de Descartes*. Décembre 1664-janvier 1665 : Passage d'une comète, suivie de nombreuses publications scientifiques à ce sujet.	*Le Mariage forcé* (Louvre). Début de la collaboration avec Lully. Création de *La Thébaïde* de Racine par la troupe de Molière. Baptême de Louis, fils de Molière, dont le parrain est Louis XIV. Mai : Fêtes des plaisirs de l'île enchantée (Versailles). À cette occasion, création de *La Princesse d'Élide* et du *Tartuffe* qui soulève une polémique et est interdit.
1665		*Le Festin de Pierre* [*Don Juan*] (Palais-Royal). La troupe devient Troupe du roi. *L'Amour médecin* (Versailles).
1666	Mort d'Anne d'Autriche. Les *Satires* de Boileau entraînent une querelle. Géraud de Cordemoy, *Traité de l'esprit de l'homme et de ses facultés et fonctions, et de son union avec le corps, suivant les principes de René Descartes*. Saint-Évremond, « Jugement sur les sciences où peut s'appliquer un honnête homme ». Fondation de l'Académie royale des sciences.	*Le Misanthrope* (Palais-Royal). *Le Médecin malgré lui* (Palais-Royal). *Mélicerte* (Saint-Germain).

CHRONOLOGIE

1667	Guerre de Dévolution (jusqu'en 1668). Louis de Lesclache, *Les Avantages que les femmes peuvent recevoir de la philosophie, et principalement de la morale, ou l'abrégé de cette science.* Fondation de l'Observatoire de Paris.	*La Pastorale comique* et *Le Sicilien* sont créées au sein du *Ballet des muses* (Saint-Germain).
1668		Grand Divertissement royal, à l'occasion duquel est créé *Le Mari confondu* (*George Dandin*) (Versailles). *Amphitryon* (Palais-Royal). *L'Avare* (Palais-Royal). Molière établit un arrangement financier avec le physicien et philosophe cartésien Jacques Rohault afin de prêter secrètement de l'argent à son père.
1669		*Monsieur de Pourceaugnac* (Chambord). Autorisation définitive de jouer *Le Tartuffe*.
1670	Racine, *Bérénice*. Corneille, [*Tite et*] *Bérénice*.	*Les Amants magnifiques* (Saint-Germain). *Le Bourgeois gentilhomme* (Chambord).
1671	Perrin et Cambert, *Pomone*, premier opéra français. Guerre franco-hollandaise (jusqu'en 1673).	*Psyché* (Tuileries puis Palais-Royal). *Les Fourberies de Scapin* (Palais-Royal). *La Comtesse d'Escarbagnas* (Saint-Germain). 31 décembre : Privilège d'impression de dix ans pris par Molière pour *Le Bourgeois gentilhomme*, *Psyché* et *Les Femmes savantes*. La troupe se dote d'un orchestre permanent de douze violons.

	CONTEXTE POLITIQUE ET INTELLECTUEL	VIE ET ŒUVRES DE MOLIÈRE ET DE SA TROUPE
1672	Racine, *Bajazet* (Hôtel de Bourgogne). Donneau de Visé, *Le Mariage de Bacchus et d'Ariane* (théâtre du Marais). Thomas Corneille, *Ariane* (Hôtel de Bourgogne). Gilles Ménage, *Observations sur la langue française*.	Lully renonce à continuer la collaboration avec Molière et obtient un monopole sur les pièces comportant de la musique. Mort de Madeleine Béjart. *Les Femmes savantes* (Palais-Royal).
1673		*Le Malade imaginaire* (Palais-Royal). 17 février : Mort de Molière. La salle du Palais-Royal est attribuée à Lully. La troupe de Molière est réunie avec celle du Marais, au théâtre Guénégaud.
1673-1674	Poullain de La Barre, *De l'égalité des deux sexes, discours physique et moral où l'on voit l'importance de se défaire des préjugés* et *De l'éducation des dames pour la conduite de l'esprit dans les sciences et dans les mœurs*.	
1674-1678	Bernier, *Abrégé de la philosophie de Gassendi*.	
1680		Création de la troupe de la Comédie-Française, qui regroupe la troupe du théâtre Guénégaud et celle de l'Hôtel de Bourgogne.
1682		Édition posthume des premières œuvres complètes de Molière.

BIBLIOGRAPHIE

ÉDITIONS DES *FEMMES SAVANTES*

ÉDITION ORIGINALE

Les Femmes savantes, Paris, P. Promé, 1672.

ÉDITION CRITIQUE MODERNE

Les Femmes savantes, éd. C. Bourqui, LGF, « Le Livre de Poche », 1999.

ŒUVRES DE MOLIÈRE

Molière, *Œuvres complètes*, dir. G. Forestier et C. Bourqui, avec la collaboration d'E. Caldicott, A. Riffaud, A. Piéjus, D. Chataigner, G. Conesa, B. Louvat-Molozay, L. Michel, J. Lichtenstein et L. Naudeix, Gallimard, « Bibliothèque de la Pléiade », 2010, 2 vol.

ÉTUDES SUR MOLIÈRE ET SUR *LES FEMMES SAVANTES*

ÉTUDES GÉNÉRALES

DANDREY, Patrick, *Molière ou l'esthétique du ridicule*, Klincksieck, « Bibliothèque d'histoire du théâtre », 1992.

FORESTIER, Georges, *Molière*, Bordas, « En toutes lettres », 1990.

GUARDIA, Jean DE, *Poétique de Molière. Comédie et répétition*, Genève, Droz, « Histoire des idées et critique littéraire », 2007.

SOURCES

BOURQUI, Claude, *Les Sources de Molière : un répertoire critique des sources littéraires et dramatiques*, SEDES, « Question de littérature », 1999.

ASPECTS PHILOSOPHIQUES

BLOCH, Olivier, *Molière/philosophie*, Albin Michel, « Bibliothèque Albin Michel des idées », 1999.

MCKENNA, Anthony, *Molière, dramaturge libertin*, Honoré Champion, « Champion classiques », 2005.

ASPECTS SCÉNOGRAPHIQUES

CLARKE, Jan, « Les théâtres de Molière à Paris », *Le Nouveau Moliériste*, n° 2, 1995, p. 247-272.

CORNUAILLE, Philippe, *Les Décors de Molière*, Presses de l'université Paris-Sorbonne, « Theatrum mundi », 2015.

MISES EN SCÈNE MODERNES

CONESA, Gabriel, et EMELINA, Jean (dirs), *Les Mises en scène de Molière du XXᵉ siècle à nos jours*, Pézenas, Domens, « Théâtre », 2007.

SUR *LES FEMMES SAVANTES*

BRUNEL, Magali, « "Sans la science, la vie est presque une image de la mort" : la place du discours scientifique dans l'esthétique verbale de Molière », *Littératures classiques*, n° 85, « Littérature et science : archéologie d'un litige (XVIᵉ-XVIIIᵉ siècles) », dir. P. Chométy et J. Lamy, 2014, p. 155-170.

FOURNIER, Nathalie, « La langue de Molière et le bon usage de Vaugelas dans *Les Femmes savantes* », *L'Information grammaticale*, n° 56, 1993, p. 19-23.

MOLINO, Jean, « "Les nœuds de la matière" : l'unité des *Femmes savantes* », *XVIIᵉ siècle*, n° 113, 1976, p. 23-47.

SHAW, David, « *Les Femmes savantes* and feminism », *Journal of European Studies*, n° 14, 1984, p. 24-38.

WATERSON, Karolyn, « Savoir et se connaître dans *Les Femmes savantes* de Molière », in J. D. Lyons et C. Welch (dirs), *Le Savoir au XVIIᵉ siècle*, Tübingen, G. Narr, « Biblio 17 », 2003, p. 185-194.

ÉTUDES THÉMATIQUES UTILES POUR *LES FEMMES SAVANTES*

SUR LES RESSORTS DU COMIQUE

BARBAFIERI, Carine, et ABRAMOVICI, Jean-Christophe, *L'Invention du mauvais goût à l'âge classique (XVIIᵉ-XVIIIᵉ siècles)*, Louvain/Paris/Walpole, Peeters, « La République des lettres », 2013.

CARLIN, Claire, « Les chagrins du mariage. Réflexion sur une catégorie de *topos* au XVIIᵉ siècle », in F. Lavocat et G. Hautcœur (dirs), *Le Mariage et la loi dans la fiction narrative avant 1800*, Louvain/Paris/Walpole, Peeters, « La République des lettres », 2014, p. 399-413.

DEBAILLY, Pascal, « Nicolas Boileau et la Querelle des Satires », *Littératures classiques*, n° 68, « Les émotions publiques et leurs langages à l'âge classique », dir. H. Merlin-Kajman, 2009, p. 131-144.

PIOT, Coline, « Les poèmes galants insérés dans les comédies du second XVIIᵉ siècle français : des parodies sans violence », hors-série de la revue *Théâtres du monde*, « Théâtre et parodie », dir. C. Barbafieri et M. Lacheny, Publication de l'université d'Avignon et des Pays de Vaucluse, 2017, p. 125-142.

ROYÉ, Jocelyn, « La figure de la "pédante" dans la littérature comique du XVIIᵉ siècle », in J. D. Lyons et C. Welch (dirs),

Le Savoir au XVIIᵉ siècle, Tübingen, G. Narr, « Biblio 17 », 2003, p. 213-225.

–, *La Figure du pédant de Montaigne à Molière*, Genève, Droz, « Travaux du Grand Siècle », 2008.

STERNBERG-GREINER, Véronique, *Le comique*, GF-Flammarion, « Corpus », 2003.

SUR LES FEMMES ET LE SAVOIR AU XVIIᵉ SIÈCLE

GRANDE, Nathalie, « Qui furent les femmes savantes ? Réflexions sur l'accès des femmes à la science au temps de Louis XIV », in A. Gargam (dir.), *Les Femmes de sciences de l'Antiquité au XIXᵉ siècle. Réalités et représentations*, Dijon, Éditions universitaires de Dijon, « Histoire et philosophie des sciences », 2014, p. 57-67.

HAASE-DUBOSC, Danielle, et HENNEAU, Marie-Élisabeth (dirs), *Revisiter la « querelle des femmes ». Discours sur l'égalité/inégalité des sexes, de 1600 à 1750*, Saint-Étienne, Publications de l'université de Saint-Étienne, 2013.

LOUVAT-MOLOZAY, Bénédicte, « Présentation » et « Dossier », in Molière, *L'École des femmes. La Critique de l'École des femmes*, GF-Flammarion, 2011.

MAÎTRE, Myriam, « Les "belles" et les Belles Lettres : femmes, instances du féminin et nouvelles configurations du pouvoir », in J. D. Lyons et C. Welch (dirs), *Le Savoir au XVIIᵉ siècle*, Tübingen, G. Narr, « Biblio 17 », 2003, p. 35-64.

NATIVEL, Colette (dir.), *Femmes savantes, savoirs des femmes : du crépuscule de la Renaissance à l'aube des Lumières*, Genève, Droz, « Travaux du Grand Siècle », 1999.

TIMMERMANS, Linda, *L'Accès des femmes à la culture (1598-1715)*, Honoré Champion, « Bibliothèque littéraire de la Renaissance », 1993.

SUR L'HONNÊTETÉ

BURY, Emmanuel, *Littérature et politesse. L'invention de l'honnête homme*, PUF, « Perspectives littéraires », 1996.

DENIS, Delphine, *La Muse galante. Poétique de la conversation dans l'œuvre de Madeleine de Scudéry*, Honoré Champion, « Lumière classique », 1997.

DENS, Jean-Pierre, *L'Honnête Homme et la critique du goût. Esthétique et société au XVIIᵉ siècle*, Lexington (KY), French Forum Publishers, 1981.

BASES DE DONNÉES

BOURQUI, Claude, FORESTIER, Georges, MICHEL, Lise, et GEFEN, Alexandre, *Molière21* ; disponible sur : www.moliere.paris-sorbonne.fr. [Base de données intertextuelle autour de l'œuvre de Molière.]

MICHEL, Lise, BOURQUI, Claude, PIOT, Coline, SCHUWEY, Christophe, ALONGE, Tristan, et SOUCHIER, Marine, *Naissance de la critique dramatique* ; disponible sur : www.ncd17.ch. [Discours (notamment de spectateurs) sur le fait théâtral en France au XVIIᵉ siècle.]

PIÉJUS, Anne (dir.), *Le Mercure galant* ; disponible sur : obvil.sorbonne-universite.site/projets/mercure-galant.

SIEFAR (Société internationale pour l'étude des femmes de l'Ancien Régime) ; disponible sur : siefar.org. [Le site propose une abondante bibliographie et des outils de recherche.]

CAPTATIONS DE MISES EN SCÈNE DES *FEMMES SAVANTES*

Les Femmes savantes, mise en scène de Béatrice Agenin, Compagnie des artistes, 2001 (DVD).

Les Femmes savantes, mise en scène de Simon Eine, Éditions Montparnasse, « Comédie-Française », 1998 (DVD).

Trissotin ou les Femmes savantes, mise en scène de Macha Makeïeff, Wahoo/France Télévision Production, 2015 ; disponible sur : www.dailymotion.com/video/x3n81va.

Les Femmes savantes, mise en scène de Jean-Paul Roussillon, Éditions Montparnasse, « Comédie-Française », 1978 (DVD).

G LOSSAIRE

Les numéros renvoient aux vers de la pièce.

ADORABLE (983, 1526) : qui mérite d'être adoré.
AIMABLE (299, 329, 746, 1518) : qui appelle l'amour ; (1531) :
   plein d'amour.
AMANT (109, 241, 273, 277, 331, 354, 967) : amoureux.

BALANCER (646) ; ÊTRE EN BALANCE (1121) : hésiter.
BRUTAL (1155) : personnage grossier.

CÉANS (385, 438, 565, 588, 609, 1259, 1568, 1586) : ici.
CHAGRIN (185, 246, 1334, 1353, 1688, 1754, 1766) : irritation,
   profonde déconvenue.
CHAGRINER (180, 231) : fâcher, irriter profondément.
CHARMANT (2, 41, 794, 813, 980, 1011, 1091, 1522, 1535) : qui
   a un très fort pouvoir d'attraction.
CHARME (714, 768, 1179, 1305, 1307) : pouvoir d'attraction et
   de séduction très fort, presque magique.
CHARMER (288, 353, 734, 1008, 1471, 1733) : exercer un charme.
CONTENT (256, 313, 426, 1773) : satisfait.
CONTENTER (SE) (561, 1236, 1515) : (se) satisfaire.

D'ABORD (208) : immédiatement.

ÉCLAT (1558) : visibilité ; AVEC ÉCLAT (1768) : de façon visible,
   aux yeux de tous.
ÉCLATER (555, 1470) : se révéler, se dévoiler (sens propre ou
   figuré).
EFFORT (128, 152, 161, 322, 858, 1038, 1399, 1421, 1456, 1532) :
   action puissante *ou* violente.

ENNUI (1547, 1709) : désespoir.

ENTENDRE (304, 312, 355, 424, 477, 792, 947, 1076, 1084, 1322) : comprendre.

ÉTRANGE (11, 560, 820, 851, 1201) : monstrueux, déplacé, démesuré *ou* énorme.

ÉTRANGEMENT (553, 1132) : de façon déplacée *ou* énormément.

FAT (1304, 1576) : sot.

HUMEUR (205, 446, 627, 666) : tempérament, caractère ; (1447, 1570) : état d'esprit.

MÉCHANT (529, 916, 1335, 1336, 1484) : mauvais.

PRODUIRE (SE) (937, 1614) : (se) montrer, (se) faire connaître.

RAVISSEMENT (814, 1080, 1092) : emportement de joie.

SANS DOUTE (337, 452, 703, 1645) : sans aucun doute, assurément.

SAUVAGE (461, 1601) : rude, qui choque l'usage.

SUFFRAGE (187, 247, 1245) : approbation.

TRUCHEMENT (278, 384) : interprète.

VISION (213, 325, 391, 688, 1247) : idée chimérique *ou* irrationnelle, folie.

VULGAIRE (4, 31, 1190, 1545) : ordinaire, commun.

TABLE

—

Les Femmes savantes

DERNIÈRES PARUTIONS

DERNIÈRES PARUTIONS

Cet ouvrage a été mis en pages par

\<pixellence\>

N° d'édition : L.01EHPN000590.N001
Dépôt légal : août 2018
Imprimé en Espagne par Novoprint (Barcelone)